個人事業のはじめ方 すぐ わかる が '25年版

成美堂出版

本書の使い方

■はじめから読む

これから個人事業をはじめようという方は、第1章から順番に読み進めることをおすすめします。ますます「やる気」が出てくるはずです。

■苦手なところを読む

「届出のことがわからない」「お金のことはどうも……」という方には、苦手なパートを中心に読むことをおすすめします。

■疑問を感じたら読む

問題が起こったり、疑問を感じたときには、目次や索引で確認してください。解決策が見つかるはずです。

《本書の特徴》

- ●「個人事業」を成功へと導くためのノウハウが満載です。
- ●ポイントごとにテーマを設けています。基本的には1テーマをテキストと図・表・チャートでわかりやすく解説しています。

見てわかるタイトル

タイトルを見ただけで、テーマの内容がわかるようになっています。

ポイントをおさえた要約

テーマ全体のポイントを簡潔にまとめています。

実務重視の解説

個人事業者にとって重要なのは実務です。実務を中心に、はじめての方にもわかるように解説をしています。

ポイントチェック

テーマごとの重要ポイントやしなければならないことを「check」としてまとめています。

[個人事業成功の秘訣]

やる気になれば だれでもできる

1人でいろいろな役割をこなさなければならないのが個人事業者。「やればできる」と信じることがたいせつです。

個人事業者は最低でも1人4役

今までサラリーマンだった人たちが個人事業をはじめるには不安も多いと思います。しかし、個人事業はだれでもできるのです。ただ、当然のことながら、成功するために気をつけなくてはならないことがあります。

何より個人事業の場合、自分でやらなければならないことが多く、少なくとも1人で4役（「企画」「営業」「商品（サービス）」「経理＋雑務」）をこなさなければなりません（→次ページ）。

やる気になれば必ずできる

個人事業者は、たくさんの種類のことを考え、実行する必要があります。これについては、会社が全体で分担してやっていたことを「規模を小さくしてやればいいだけ」と考えましょう。

特に営業をしたことがない人は、「仕事がとれるか」「どうやればいいのか」など不安も多いかもしれません。でも、なんでも経験している

オールマイティの人なんて、ほとんどいません。やる気になれば、なんでもできるものです。

成功には1割の原理がある

私は、過去に自分がはじめた事業について、「企画・営業・商品（サービス）の提供・経理＋雑務のどれもほとんどやったことがない！」といった状態でした。

しかし、自分自身に「成功の1割の原理」をいつも言い聞かせ事業を行ってきました（→次ページ）。結果として、年々売上を伸ばしています。

あなたも、この1割の原理を信じて、成功を勝ちとってください。

check

- 1人で「企画」「営業」「商品（サービス）の提供」「経理＋雑務」の4役をこなさなければならない。
- 未経験のことでも、やればできると信じて進む。
- 1割の原理が成功への近道。

 MEMO 失敗にもそこから学ぶメリットがあり、成功にも傲慢さを助長するなどのデメリットが存在します。常に物事のメリットを最大限に生かし、デメリットを最小限にする意識が個人事業の成功につながります。

14

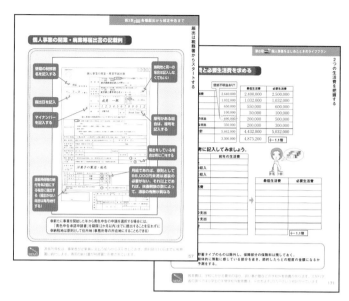

◆書き込みシート・書式見本

- 本書にはオリジナルの書き込みシートと届出に必要な書式見本を多数掲載しています。
- シートの記載例を参考に、自分で書き込んでみましょう。
- 書式の記載例を参考に正確な届出をしましょう。

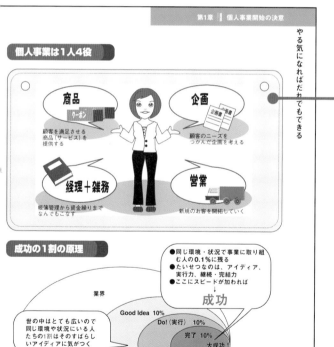

豊富なチャートやイラスト

具体的な図や表、チャート、イラストで、よりわかりやすい解説になっています。

WORDとMEMO

 難しい用語や制度をわかりやすく説明しているので、スムーズに読み進めることができます。

 知っておくとトクをするような情報をピックアップしています。

※本書は原則として2024年5月現在の法律および書式に基づいています。
※各URLは、サイトの再構築等により変更される場合もあります。

はじめに

個人事業をはじめようと思っているあなたへ

終身雇用制の時代が去り、成果主義という言葉が使われるようになって、日本の雇用環境は大きな転換期を迎えています。サラリーマンにも大変厳しい時代ですが、自ら事業をはじめようという方にとっては、さらに厳しい道が待っています。

「個人事業をはじめる」動機は一体なんでしょうか。「自分の力を試してみたい」「好きなことを仕事にしたい」「あたためていた企画を売り出してみたい」などいろいろな動機があることでしょう。

事業をはじめる前にこの「動機」をしっかり自分で再確認しましょう。事業経営にはさまざまな困難が待ち受けています。この困難な道をなぜ選んだのか、自問自答するときが必ずやってきます。「ただなんとなくはじめてしまった」では困難を乗り越えることができません。しっかりとした意志をつらぬくために、入念な準備のもとスタートしましょう。

個人事業をはじめたばかりのころは、右も左もわからずにずいぶんと苦労したこともありました。

事業経営をするには、さまざまな知識や情報、経験が必要です。もちろん経験は大事なことですが、事前に知識や情報として知っておけば失敗も少なくなるでしょうし、時間効率もよくなります。

本書には、これから個人事業をはじめようという方に、少しでも私たちの経験が役立ってほしいとの思いが、随所にちりばめられています。私たちの経験の中から、必要であろうと思われる情報を厳選しました。事業をはじめる前からはじめた直後まで、何をしなければいけないか、どんな準備が必要かが書かれています。

ぜひ、この1冊を事業経営の友としてください。たいせつなのは、強い意志です。

本書によってあなたの事業が成功することを願っています。

2024年5月　　　池田直子

　　　　　　　　小澤　薫

◆**超高齢化時代を迎え**

我が国の65歳以上の人口は、内閣府の発表によると 2022年10月1日現在の数値で、総人口の29.0％にもなりました。高齢化への対策はあらゆる分野で進められています。

例えば、老齢基礎年金を65歳で受給開始せず、増額した年金額を受給することができる年金の繰下げ受給の制度では、66歳以後75歳までの間へと受給開始年齢の幅が引き上げられました。

また、現政権は貯蓄から投資へとの方針を掲げ、個々の老後の資産を確保するための制度であるiDeCoやNISA などを推進しており、自助努力なくして豊かな老後は迎えられない時代が到来します。

サラリーマンとして定年を迎え退職し、年金受給者として老後の生活を悠々自適に……というような時代は過去のものになりつつあります。定年退職後も就労継続の検討は必要です。

定年を待たずに、また定年退職後の選択肢として、個人事業者として職業人生を送るというのもよいでしょう。定年のない職業人生を楽しんでみませんか。

4 ── はじめに

第1章　個人事業開始の決意

12 ── ［事業スタイル］
個人事業なら手軽にはじめられる

14 ── ［個人事業成功の秘訣］
やる気になればだれでもできる

16 ── ［商売・経営タイプと夢実現タイプ］
自分のタイプを見極めることがポイント

18 ── ［個人事業に多い仕事の種類、仕事の仕方］
個人事業のよさを生かした仕事をする

20 ── ［許認可の確認］
許認可が必要な業種がある

22 ── ［手続きが必要な資格］
事業開始の前に手続きが必要な資格がある

24 ── ［個人事業者とサラリーマンの違い（判断と責任）］
個人事業者は毎日が判断の連続

26 ── ［個人事業者とサラリーマンの違い（売上と給料）］
売上＝給料と勘違いしないこと

28 ── ［個人事業者とサラリーマンの違い（情報とリスクの想定）］
適切な情報収集が成功のカギ

30 ── ［個人事業の意味］
Plan、Do、Seeが基本

34 ── ［家族への影響・家族の理解］
家族の理解なしに成功はない

36 ── ［健康と時間］
個人事業者は人一倍健康に気をつける

第2章　事業開始に向けて

40 ── ［退職時、退職後にすること］
お世話になった会社のルールに従う

44 ── ［雇用保険の手続き］
個人事業者は失業給付を原則受給できない

46 ── ［医療保険の手続き］
退職後の選択肢は3つある

48 —— [年金の手続き]
個人事業者は国民年金に加入する

50 —— [退職金の手続き]
退職金の種類と金額を確認しておく

52 —— [所得税と住民税の手続き]
自分で税金の計算をし自分で納付する

第3章　各種届出から確定申告まで

56 —— [税務署への届出]
届出は税務署からスタートする

64 —— [屋号の意味と活用法]
屋号で事業のイメージを伝える

66 —— [都道府県税事務所への届出]
個人事業税の対象になるか確認する

68 —— [労働基準監督署への届出]
労働基準監督署で労災保険の手続きをする

72 —— [ハローワークへの届出]
雇用保険に加入しなければならない

76 —— [日本年金機構への届出]
年金事務所へ届け出る

80 —— [預金通帳の活用]
通帳を使えば手軽に資金管理ができる

82 —— [経理の必要性]
将来の計画を立てる資料となる

84 —— [経理の記帳方法]
会計ソフトの利用がおすすめ

88 —— [確定申告までの流れ]
記帳から確定申告までの流れをつかむ

90 —— [決算整理]
確定申告の準備をする

92 —— [損益計算書の書き方]
損益計算書で事業成績を算定する

94 —— [貸借対照表の書き方]
貸借対照表で財政状態がわかる

96 —— [内訳表の書き方]
損益計算書の金額の内訳を表す

98 —— [確定申告書の書き方]
確定申告書を作成して税額を計算する

100 —— [確定申告書第二表の書き方]
所得の内訳や所得控除を記載する

102 —— [課税事業者と免税事業者]
事業を開始して2年間は免税事業者になる

104 —— [原則課税と簡易課税]
簡易課税なら消費税の計算が簡単

108 —— [帳簿・証憑類の整理]
帳簿や証憑類は整理して7年間保存する

第4章　事業開始の具体的な準備

112 —— [電話契約の選び方]
電話とファクスは事業運営の必需品

114 —— [インターネット環境の整え方]
インターネットを活用する

116 —— [自宅での開業と自宅以外での開業]
十分に検討して仕事の拠点を決める

118 —— [オフィス選びのポイント]
いろいろな形の事務所がある

120 —— [設備・備品の準備]
コストをかけない工夫をする

122 —— [資金繰り表の必要性]
資金繰り表から資金準備を考える

124 —— [資金繰り表（キャッシュフロー表）の作成]
資金繰り表から将来のお金の動きが見える

126 —— [資金調達の選択肢]
はじめに公的融資を検討する

128 —— [国の助成金]
助成金を大いに活用する

132 —— [資金調達のポイント]
資金調達でたいせつなのは事業計画書の作成

134 —— [カードローン・消費者金融の利用]
カードローンや消費者金融は金利が高い

第5章　個人事業の開始をより現実的にする

138 —— [個人事業開始前のチェック]
最も重要なのは事業ビジョン

140 —— [事業ビジョンとサクセスストーリー]
事業ビジョンからサクセスストーリーを描く

142 —— [自分の資源の確認]
自分の特性を知り個人事業に生かす

144 —— [事業内容の検討①]
シートを使って事業内容を検討する

146 ── [事業内容の検討②]
　　　チェック方式で事業内容を確認する

148 ── [事業計画書の意味]
　　　事業計画書で事業内容を具体化する

150 ── [基本方針の検討]
　　　事業概要シートを使って基本方針を検討する

152 ── [事業戦略]
　　　事業戦略シートを使って判断する

154 ── [開業資金計画]
　　　必要なお金を事業開始時に見積もる

156 ── [収支計画]
　　　収支計画シートを活用する

第6章　　個人事業をはじめたときのライフプラン

160 ── [事業とライフプラン]
　　　事業プランとライフプランは切り離せない

164 ── [ライフイベント表]
　　　ライフイベント表をつくる

166 ── [マネープランの作成]
　　　財政＝資産を把握する

168 ── [必要生活費の算出]
　　　必要生活費を収入と支出から把握する

170 ── [最低生活費と必要生活費の算出]
　　　2つの生活費を把握する

172 ── [個人事業者のマネープラン①]
　　　事業＆ライフプラン計画表をつくる①

174 ── [個人事業者のマネープラン②]
　　　事業＆ライフプラン計画表をつくる②

176 ── [事業＆ライフプラン計画表の分析]
　　　事業＆ライフプラン計画表を分析する

178 ── [計画の見直し]
　　　事業＆ライフプラン計画表を見直す

第7章　　事業繁栄のポイント

182 ── [事業成功のための思考能力]
　　　個人事業者に求められる能力を磨く

184 ── [個人事業者の営業方法]
　　　自分にあった営業方法を確立する

186 ── ［営業の心得］
営業することは恐くない

188 ── ［紹介と人脈］
人脈づくりが事業繁栄のカギ

190 ── ［事業成功のカギ］
よき相談者・理解者・協力者をもつ

192 ── ［事業案内の作成］
事業案内は頼りになる営業ツール

194 ── ［広告・宣伝の手段］
事業内容をアピールする方法を検討する

196 ── ［市場調査（マーケットリサーチ）］
市場調査は個人事業にこそ欠かせない

198 ── ［従業員の採用］
人材選びは事業繁栄の基礎

第8章　個人事業を成功させる

202 ── ［経営相談の活用］
まずは気軽に相談してみるのもいい

204 ── ［専門家の活用］
専門家は頼れる相談相手

206 ── ［個人事業者に必要な法律知識］
「知らなかった」は通用しない

208 ── ［少額訴訟制度］
悪質な取引先に対しては法的手段も考える

210 ── ［入出金管理の工夫］
入金と支払いのルールで事務の効率化を図る

212 ── ［事務所の借り換え］
事務所の借り換えには費用も労力もかかる

214 ── ［万一に対する備え］
病気になったときのことを考えておく

216 ── ［小規模企業共済制度］
老後のことも考えておく

218 ── ［法人成り］
法人にすれば社会的信用力が増す

221　　索引

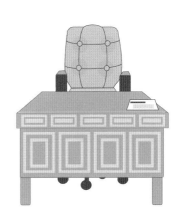

届出書式一覧

57	個人事業の開業・廃業等届出書
58	所得税の青色申告承認申請書
59	青色事業専従者給与に関する届出書
60	給与支払事務所等の開設届出書
61	源泉所得税の納期の特例の承認に関する申請書
62	所得税の減価償却資産の償却方法の届出書
63	消費税課税事業者選択届出書
67	事業開始等申告書
70	労働保険保険関係成立届
71	労働保険概算・増加概算・確定保険料申告書
74	雇用保険適用事業所設置届
75	雇用保険被保険者資格取得届
77	新規適用届
78	被保険者資格取得届
79	被扶養者（異動）届
92〜95,97	青色申告決算書
99,101	所得税の確定申告書
107	消費税簡易課税制度選択届出書

コラム　著者の経験談から

38	①前向きさがあるなら個人事業をはじめよう
54	②事業を開始することで今までとは違う感覚が身につく
110	③はじめての確定申告
136	④個人事業の拠点の選び方
158	⑤夢を現実にするはじめの一歩は事業計画
180	⑥ライフプランを考えて事業計画を立てる
200	⑦1人でも多くの人に会おう
220	⑧私たちのプロセス

第1章

個人事業開始の決意

個人事業なら手軽にはじめられる……12
やる気になればだれでもできる……14
自分のタイプを見極めることがポイント……16
個人事業のよさを生かした仕事をする……18
許認可が必要な業種がある……20
事業開始の前に手続きが必要な資格がある
……22
個人事業者は毎日が判断の連続……24
売上＝給料と勘違いしないこと……26
適切な情報収集が成功のカギ……28
Plan、Do、Seeが基本……30
家族の理解なしに成功はない……34
個人事業者は人一倍健康に気をつける……36

[事業スタイル]
個人事業なら
手軽にはじめられる

手軽にはじめられる個人事業。法人との違いを
しっかり理解しておきましょう。

選択肢は2つある

　いよいよ具体的に事業をはじめることにな
ったら、どんな形態で事業を立ち上げるかを
決めなくてはなりません。選択肢として、大
きくは個人事業と法人の2つに分かれます。

　個人事業は手軽にはじめられ、**どんな事業
を行ってもよく、変更も自由**です。また、法
人登記のようにめんどうな手続きも必要あり
ません。

　ただし、国家資格で事業を行うような場合
は、**個人資格でしか事業を行えないものもあ
る**ことに注意してください。

　また、個人事業者は、事業に対するすべて
の責任を個人で背負うことになるということ
も忘れてはなりません。

個人事業は
信用力がない？

　信用力という点では、法人のほうが有利な
場合もあります。そのため、最初は個人事業
からスタートし、規模の拡大により法人化す
る（法人成り→218〜219ページ）というケ

ースもよくあります。

　次ページで個人事業と法人の比較をしてい
ます。いろいろな角度から検討して、進む方
向を決定してください。

夢実現タイプには
個人事業が向いている

　個人事業、法人それぞれに特徴があるので、
自分のやりたい事業や方向性によって最適な
形態を選択しましょう。

　儲けるために事業をはじめる商売・経営タ
イプの場合は、ゆくゆくは法人成りを視野に
入れ事業を開始するとよいでしょう。

　一方、やりたい仕事をするために事業をは
じめる夢実現タイプの場合は、自由度がきく
個人事業を選択するのがよいでしょう。

check

☑ **手軽にはじめるなら個人事業が
向いている。**

☑ **個人事業者は事業に対するすべての
責任を負うことを忘れてはならない。**

☑ **事業規模が拡大したら、法人成り
という方法もある。**

MEMO　法人成りとは個人事業で実績を積んでタイミングをみて法人化することです。はじめから大
きくビジネスを展開する場合は法人設立から開始します。

個人事業なら手軽にはじめられる

個人事業と法人の違い

	個人事業	法人
事業開始の届出など	●設立登記は不要	●設立登記が必要なため時間、コストがかかる
開業に必要な資金	●費用は必要最低限におさえられる	●資本金が必要 ●法人登記の費用も必要
税金面	●所得税・復興特別所得税、住民税がかかる（所得税・復興特別所得税、住民税合計の最高は所得の55.945%）	●法人税（法人税の最高は利益の23.2%） ●その他法人住民税は個人の住民税に比べると高め
税務申告	●簡単にできる ●自分でも申告できる	●難しい ●専門家に依頼したほうがよい
事業主の責任	●全責任を負う	●有限責任（個人保証をする場合は実質的に無限責任となる）
社会的信用	●低い	●高い ●金融機関からの借入、従業員の募集など有利
事業主の報酬	●事業の利益が事業主の報酬	●役員報酬として受け取り、経費の取り扱いとなる
社会保険	●原則社会保険加入はできない	●社会保険の適用可能

COLUMN

肩書きにこだわる？

　手軽に個人事業ではじめるか、それともしっかり法人ではじめるか。事業を開始するときには、1度は考えることです。

　「株式会社〇〇　代表取締役××××という名刺がどうしてもほしい」という動機で会社にすることを決意するのでもいいかもしれません。一方で、「会社経営なんて、だいそれたことは無理」と思う方もいるかもしれません。

　どちらも一国一城の主となって事業を開始するのです。自分の夢や希望を取り入れましょう。

勤め先で副業が認められていれば、会社員をしながら個人事業主になるという選択もあるでしょう。

[個人事業成功の秘訣]

やる気になれば
だれでもできる

1人でいろいろな役割をこなさなければならないのが
個人事業者。「やればできる」と信じることがたいせつです。

個人事業者は
最低でも1人4役

　今までサラリーマンだった人たちが個人事業をはじめるには不安も多いと思います。しかし、**個人事業はだれでもできる**のです。ただ、当然のことながら、成功するために気をつけなくてはならないことがあります。

　何より個人事業の場合、自分でやらなければならないことが多く、**少なくとも1人で4役**（「企画」「営業」「商品（サービス）」「経理＋雑務」）をこなさなければなりません（→次ページ）。

やる気になれば
必ずできる

　個人事業者は、たくさんの種類のことを考え、実行する必要があります。これについては、会社が全体で分担してやっていたことを「規模を小さくしてやればいいだけ」と考えましょう。

　特に営業をしたことがない人は、「仕事がとれるか」「どうやればいいのか」など不安も多いかもしれません。でも、なんでも経験している

オールマイティの人なんて、ほとんどいません。**やる気になれば、なんでもできる**ものです。

成功には
1割の原理がある

　私は、過去に自分がはじめた事業について、「企画・営業・商品（サービス）の提供・経理＋雑務のどれもほとんどやったことがない！」といった状態でした。

　しかし、自分自身に「**成功の1割の原理**」をいつも言い聞かせ事業を行ってきました（→次ページ）。結果として、年々売上を伸ばしています。

　あなたも、この1割の原理を信じて、成功を勝ちとってください。

check

☑ 1人で「企画」「営業」「商品（サービス）の提供」「経理＋雑務」の4役をこなさなければならない。

☑ 未経験のことでも、やればできると信じて進む。

☑ 1割の原理が成功への近道。

MEMO　失敗にもそこから学ぶメリットがあり、成功にも傲慢さを助長するなどのデメリットが存在します。常に物事のメリットを最大限に生かし、デメリットを最小限にする意識が個人事業の成功につながります。

やる気になればだれでもできる

個人事業は1人4役

商品
顧客を満足させる商品（サービス）を提供する

企画
顧客のニーズをつかんだ企画を考える

経理＋雑務
帳簿管理から資金繰りまでなんでもこなす

営業
新規のお客を開拓していく

成功の1割の原理

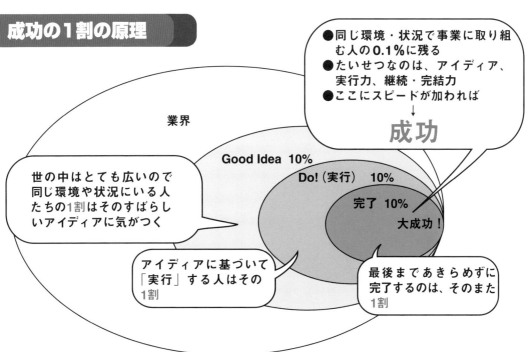

●同じ環境・状況で事業に取り組む人の0.1％に残る
●たいせつなのは、アイディア、実行力、継続・完結力
●ここにスピードが加われば
↓
成功

業界

Good Idea 10%

Do!（実行）　10%

完了 10%

大成功！

世の中はとても広いので同じ環境や状況にいる人たちの1割はそのすばらしいアイディアに気がつく

アイディアに基づいて「実行」する人はその1割

最後まであきらめずに完了するのは、そのまた1割

MEMO
個人事業では思いのほか「雑務」に時間がとられます。送付状の作成や宛名シールの印刷、コピーをとる、銀行で振込みをする、消耗品を買いに行く、電話を受けるなど、あっという間に時間がなくなります。

自分のタイプを見極めることがポイント

個人事業をはじめる理由はさまざまです。自分が「商売・経営タイプ」か「夢実現タイプ」かを確認しましょう。

自分はどちらのタイプ？

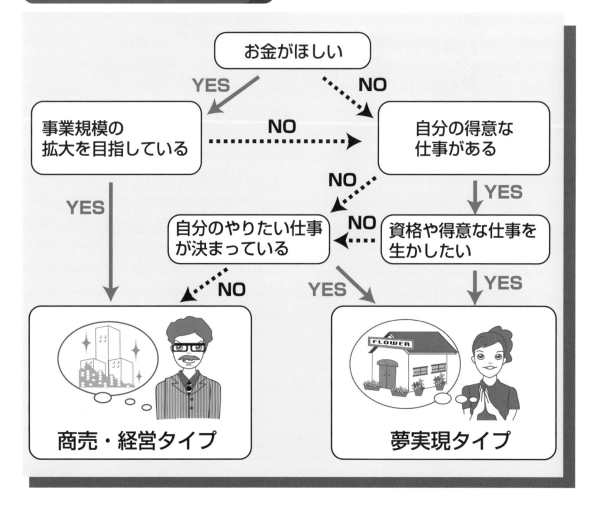

お金がほしい

YES　NO

事業規模の拡大を目指している　——NO→　自分の得意な仕事がある

YES↓　　↓YES

自分のやりたい仕事が決まっている　←NO——　資格や得意な仕事を生かしたい

NO　　　　YES　　　↓YES

商売・経営タイプ　　　　夢実現タイプ

MEMO　本書では「商売・経営タイプ」と「夢実現タイプ」の2つに分類して解説しています。

自分のタイプを見極めることがポイント

どちらのタイプかを明確にする

個人事業をはじめる理由は、「お金儲けをしたい」「好きな仕事をしたい」「資格や技術を生かしたい」など、さまざまです。また、「はっきりした理由はない」「いくつかの理由が重なっている」という人もいるでしょう。

事業をはじめる「**動機**」の違いは、事業の「**目的**」の違いになってくるため、事業の進め方も変わってきます。

「お金を儲ける」が目的なら、販売する商品やサービスはお金儲けができそうなものを選ぶことになります。また、「好きな仕事をしたい」が目的なら、販売する商品やサービスはすでに決まっていることになります。そうなれば、当然、売り方も違ってきます。

フローチャートを使って、自分が**どちらのタイプ**により近いかを確認してみましょう。

2つのタイプの特徴・問題点

商売・経営タイプ

〔特徴〕
● 「商売・経営をしたい」「お金儲けをしたい」というタイプ。
● 自分のやりたいこと、夢、目標であるゴール地点は比較的しっかりもっている。

〔課題〕
● 「儲けのしくみ」や「経営や商売の進め方」である事業のコンセプト、ポリシーをしっかりさせる必要がある。

〔アドバイス〕
● ゴールにたどり着くために、現在からゴールまでのプロセスである事業計画をしっかり立てること。

夢実現タイプ

〔特徴〕
● 「やりたい」あるいは「やる」仕事を決めているタイプ。
● お客様に提供する商品やサービスが決まっている。

〔課題〕
● 自分がやろうとしている「仕事」でどのくらいお金が儲かるのか、どうやればお金がもらえるのかまでの具体的な現実をイメージしていない場合が多い。
● 「仕事」を見つめすぎる傾向にある。

〔アドバイス〕
● 「今」をスタートとして、アバウトでもよいので、「将来はどうなりたいか」「老後はどのように過ごしたいか」などのゴールをイメージする。
● いつまでにどのぐらいの目標で行動するかなど、スタートからゴールまでのプロセスである事業計画をしっかり立てる（この点は商売・経営タイプと共通）。

MEMO どのような事業展開にすればよいかなどの事業計画は、第5章以降で詳しく解説しています。

[個人事業に多い仕事の種類、仕事の仕方]

個人事業のよさを
生かした仕事をする

個人事業のメリットは手軽で
個人の技術や信用を存分に生かせることです。

個人事業ならではの仕事がある

個人事業のメリットとして「自分の自由にできる」「手軽にはじめられる」などがあります。これらを生かした仕事を選び、**仕事の仕方を工夫する**ことがポイントとなります（→次ページ）。

◆技術やセンスを生かす仕事が多い

個人の技術やセンスを自由に生かすタイプであれば、資格ビジネスやラーメン屋さん、お花屋さんなどが向いています。

これらのケースでは、自分の実力がお客さんから認められれば、法人にする必要はありません。個人であっても十分信用を得ることができます。

◆手軽にできる仕事が多い

初期費用があまりかからず、手軽に仕事がはじめられるという個人事業のよさを活用するなら、SOHOなどの在宅ビジネスやインターネットビジネスなどがおすすめです。自宅で事業をはじめられるため手軽で気軽にできるというメリットがあります。

また、初期費用はかかりますが、事業をはじめるノウハウが準備されているので、比較的**手軽にはじめられるフランチャイズビジネス**もあります。

ただし、フランチャイズといっても名ばかりで、ロイヤリティはとるのに、ノウハウなどをきちんと提供してくれないケースもあります。契約段階で内容をしっかり確認するようにしましょう。

◆法人への前ステップとしての個人事業もある

商売・経営タイプの人の中には、まず個人事業ではじめ、「軌道に乗ったら法人へステップアップを」と考えている人も多いのではないでしょうか。

これも個人事業の「手軽で自分の自由にできる」というよさを生かしたやり方です。

check

☑ 個人事業のよさを生かした仕事の種類や仕事の仕方を選ぶ。

☑ 個人事業は技術やセンスなどの実力が問われる。

☑ 手軽に気軽にはじめられるメリットを生かす仕事の仕方を選ぶ。

 WORD **SOHO** そーほー Small Office Home Officeのことです。一般的には在宅でパソコンを使って仕事を行うスタイルで、会社に行かなくてよいという利点があります。

個人事業のよさを生かした仕事をする

個人事業に向いた仕事

種類	内容と特徴・メリットなど
資格ビジネス	●**資格を取得し、その資格を使って事業をはじめる** 　税理士、行政書士など ●初期費用が少なく手軽にできる ●個人の資格や技術が生かせる ●資格の価値が希少だったり個人の技術が高ければ、うまくいく確率が高い ●個人の技術力が高ければ、法人の信用力をあまり必要としない
小売・飲食店ビジネス	●**やりたいお店をはじめる** 　アクセサリー店、ラーメン店など ●初期費用はある程度必要 ●個人のセンスや技術が生かせる ●個人のセンスや技術が高ければ、うまくいく確率が高い ●事業規模の拡大を求めない限り、個人の技術力やセンスがあれば、法人の信用力はあまり必要としない
在宅ビジネス	●**自宅でできる自分のやりたい仕事をはじめる** 　教室系：そろばん、英語、料理、ヨガなど 　IT系：webデザイナー、ライター、イラストレーター、YouTuberなど ●初期費用をほとんどかけずに事業をはじめられる ●個人の技術やセンスを生かせないと収益の確保が難しい場合がある ●コロナ禍以降は需要も増えてきている
インターネットビジネス	●**インターネットを活用し、物の販売やサービスの提供などをはじめる** 　ネットショッピング（輸入雑貨店、産地直送店）など ●初期費用をあまりかけずに手軽に事業をはじめられる ●個人のアイディア、センスがないと、ある程度の収益の確保は難しい ●収益の確保や事業規模の拡大を求める場合は法人の信用力が必要となる
フランチャイズ	●**チェーン店の加盟店、特約店になり事業をはじめる** 　コンビニエンスストア、クリーニング、飲食店など ●初期費用は必要だが、さまざまなノウハウ（市場調査・仕入・価格設定など）を提供してくれるので手軽にできる ●事業規模の拡大を求めるまでは、加盟店の信用力があれば法人であることを必要としない

WORD **フランチャイズ** 特定の商品やサービスの提供について独占的な権利をもっている会社が、加盟店に対して一定の地域内での販売する権利を与える制度です。加盟店はロイヤリティを親会社に支払い、親会社は、経営のノウハウや商標などの使用権を与えてくれます。

［許認可の確認］

許認可が必要な業種がある

事業をはじめる前に、許認可が必要か、許認可がおりるのにどのぐらいの期間を要するのかを確認します。

許認可業種かどうかを確認する

　許認可を受けなければ開始できない事業があります。たとえば、飲食店をやってみたいと思っていても、無許可でははじめられません。

　自分が立ち上げようと考えている事業が**許認可業種かどうか、事前に確認**しておく必要があります。次ページにあげたような行政の窓口で確認してください。

　準備の不備によって、計画どおりに事業が開始できなくなる場合もあるので、注意が必要です。

許認可の種類は5つある

　許認可には、免許、許可・認可、登録、届出があり、それぞれ手続方法などが違ってくるので注意が必要です。

［免許］ 一定の資格・免許を持っていることが開業の条件となる。許可・認可と同じように審査の後、承認されれば開業できる。

［許可・認可］ 管轄の行政官庁に申請書を提出し、審査を受ける。一定の条件を満たしていることが承認されれば、開業できる。

［登録］ 管轄の行政庁に登録することが条件になる。

［届出］ 基本的には、届出書を提出することで開業できるが、設備の基準などの確認がとられる場合もある。

窓口は業種によって異なる

　届出・申請などの窓口は、保健所、警察署、都道府県庁など業種によって異なります。許認可の内容が確認できたら、窓口がどこかを確認します（窓口がわかったら、実際に足を運び申請書類をもらう）。

　必要書類を取り寄せ、許認可がおりるまでに要する期間も確認しておきましょう。

check

☑ **はじめようとしている事業が許認可業種かどうかを確認する。**

☑ **申請窓口もあわせてチェックする。**

☑ **許認可がおりるまでにかかる期間を考慮して開業準備をする。**

MEMO　許認可が必要な事業は、本文で説明したもののほか、全部で1,000以上もあります。はじめようとしている事業について確認しておきましょう。

許認可が必要な主な業種と申請窓口

保健所

飲食関連業（許可）、
食品関連製造業（許可・届出・登録）、
施術所（免許）、理・美容院（届出）、
旅館（許可）、クリーニング店（届出）、
医療用具取扱業（許可・届出）

警察署

古物商（許可）、
探偵業（許可）、
Bar（許可）

都道府県庁

国内旅行業（登録）、
産業廃棄物処理業（許可）、
化粧品取扱業（許可）、駐車場（届出）、
介護事業（指定）

労働局

有料職業紹介事業（許可）

税務署

酒類販売業（免許）
酒類等製造業（免許）

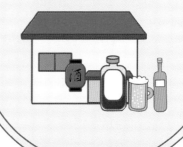

MEMO　許認可の手続きは、時間をかければ自分でもできますが、手間をかけたくないという場合はプロに頼みましょう。行政書士などの専門家が代行してくれます。

事業開始の前に手続きが必要な資格がある

資格を生かして事業をはじめる場合、手続きが必要になるケースがあることに注意しましょう。

資格によっては手続きが必要

　夢実現タイプの人の中には、取得した資格を生かして個人事業をはじめようという方もいると思います。

　資格は大きく3つに分類されます。資格によって、事業をはじめる場合の**手続きが異なることに注意をしてください。**

◆国家資格

　資格試験に合格しても、一定の実務経験や研修後、手続きをして資格者として登録をしないと、資格を使って仕事をすることができないものがあります。資格により試験合格後の要件や手続き方法は異なります。

　資格の登録には一般的に費用がかかります。これも資格の種類、使い方によって異なり、初期登録料のほかに年会費などが必要になる場合もあります。また、更新しなければ資格を維持できないものもあります。

◆公的資格

　公的資格は国家資格と民間資格の中間的位置づけになります。商工会議所や社団法人などが試験を実施し、経済産業省などの省庁やその大臣が認定している資格です。国家、民間資格に比べ直接事業に結びつく資格は少ないですが、コンピュータ関係など、役立つ資格も多いのが特徴です。

◆民間資格

　民間資格の場合、特に共通するルールはありません。それぞれの団体が認めている基準にそって資格を取得するので、その資格を使って事業をする場合のルールもその団体ごとに決められています。

　ただ、資格に合格すると、その民間団体の会員になるという位置づけにしている場合が多いため、合格後に民間団体の会員となるための費用として、年会費がかかるケースが多いようです。

check

- 資格は、国家資格をはじめ、大きく3つに分類される。

- 手続きをしないと事業をはじめられない場合もあることに注意する。

- 実力があれば、資格を生かした事業は成功の確率が高い。

MEMO 資格を取得するには、専門学校を利用するのが早道です。税理士資格取得や社会保険労務士資格取得のための学校などがあります。通学しなくても通信やオンラインなど、さまざまな学び方を選択することができます。

さまざまな資格

国家資格
弁護士、公認会計士、税理士、社会保険労務士、
ファイナンシャル・プランニング技能士、
介護福祉士、あん摩マッサージ指圧師　など

公的資格
消費生活アドバイザー、手話通訳士、情報処理技術者、
ケアマネージャー（介護支援専門員）、
ツアーコンダクター、葬祭ディレクター　など

民間資格
インテリアコーディネーター、
トリマー、ソムリエ、お花、お茶、
ネイリスト、ジュエリーコーディネーター、
犬訓練士、ドローン検定　など

COLUMN

資格ビジネスは個人事業に向いている

　パソコン、電話、FAX、メールなどがそろえば、自宅でも手軽に開業できるのが、資格ビジネスです。個人事業にはとても向いているといえるでしょう。自分がもっている資格でビジネス展開の可能性があれば、資格ビジネスに挑戦するのもいいかもしれません。

　ただし、「多分、資格を取れるだろう」といった見切り発車で会社をやめるのは危険です。資格を取得してから、あるいは在職中に確実な取得予定を立て、それから行動に移すようにしましょう。資格の取得には、時間とお金がかかることを忘れてはいけません。

MEMO　手続きをしないで開業すると、営業停止になったり、資格剥奪になったりすることもあります。

個人事業者は
毎日が**判断**の連続

個人事業者は、日々判断の連続です。そして判断したことには責任をもたなければなりません。

すべての判断は自分でする

　個人事業者とサラリーマンの精神的な面での違いは、「判断」と「責任」です。

　サラリーマン時代は「組織」の一員だったので、自分で判断をしていいことと上司に判断を仰ぐこと、報告すること、社内の稟議にかけることなどが決まっていました。

個人事業者は社長と同じ

　しかし、個人事業をはじめれば、自分が社長です。**すべてのことを自分で判断する**ことになります。

　たとえば、新規の顧客を訪問するのも、経費の使い方も、お客さんに提示する資料の内容も、すべて自分で判断することになります。毎日、すべてが判断の連続となるのです。

　このように、個人事業者には自分の判断で行動し、その判断・行動の責任を自分がとれるというすばらしさがあります。ただ、その分、判断が重要になり、自分自身にかかる責任の重さが大きくなります。

判断ミスの責任は自分でとる

　すべての判断を自分でするということはとても大変なことです。自分で判断したお客さんへのサービスが、お客さんを怒らせて仕事を失う可能性もあります。

　また、借入の判断を誤って、借りたお金が返済できなかったり、逆に借入をしなかったために資金がなくなり、必要な経費がかけられずに仕事をとれないということもあります。

　サラリーマンであれば、会社が責任をとってくれるかもしれません。上司がいっしょに謝ってくれるかもしれません。しかし、個人事業者は、すべて自分の判断ミスなのですから、**自分で責任をとる**しかありません。

check

☑ 個人事業者はあらゆる判断を自分でする。

☑ 判断の結果については、すべて自分で責任をとる。

☑ 判断しなければならないことは山ほどある。

 WORD　**稟議**（りんぎ）　会社などで、一定の事案に関して書類などを関係者に回して承認を得ることです。稟議のための書類を稟議書といいます。

個人事業者の判断事項

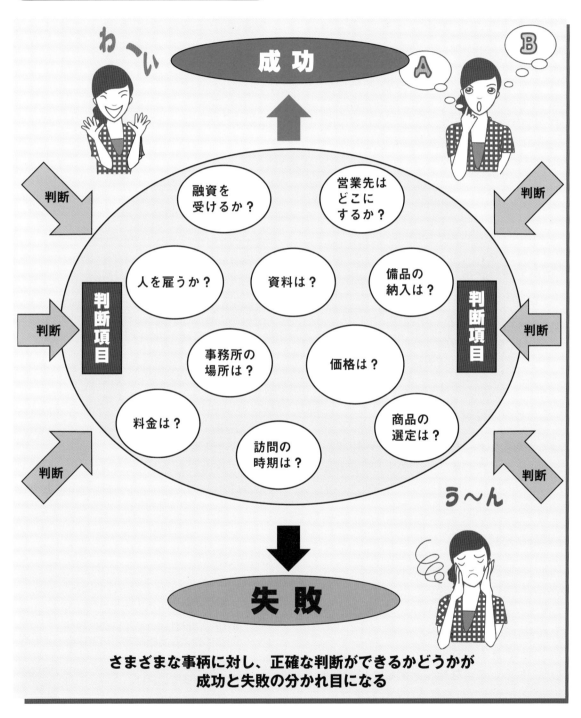

さまざまな事柄に対し、正確な判断ができるかどうかが
成功と失敗の分かれ目になる

個人事業は自由とはいっても、判断ができない、責任をとれないようでは何も進みません。

［個人事業者とサラリーマンの違い（売上と給料）］

売上＝給料と
勘違いしないこと

個人事業者が意識しなければならないのは、売上よりも
利益であることを理解しましょう。

売上から経費を
引いたものが利益

◆個人事業者の給料日は？

サラリーマン時代には、給料日になると、銀行口座に給料が振り込まれていました。

しかし、個人事業をはじめたら給料日はありません。お客様から**お金をいただいたときが給料日**です。

◆売上と利益は違う

個人事業者の場合、お客様から受け取ったお金は「**売上**」です。その売上からその仕事をするのにかかった経費などを差し引いたのが「**利益**」、つまり「儲け」です。

◆利益が給料になる

個人事業者の場合は、売上がいくら多くても経費がたくさんかかってしまったら、利益である残ったお金はわずかしかありません。要は利益が給料です。

このことをよく理解すると、サラリーマン時代にもらっていた**給料と同じだけの利益を得ることは大変**だと感じるかもしれません。

「経費＝自由なお金」
ではない

サラリーマンは、会社の「ルールにそった、きちんとした理由」があるときにしか、会社のお金を使うことができませんでした。

しかし、個人事業をはじめると「仕事をするために必要なお金のきちんとした理由」を自分で決めることができます。

注意しなければならないのは、「必要な経費＝自由なお金」と勘違いしてしまうことです。経費は、サラリーマンの給料のような自由なお金とは違うのです。

本当に**自由になるお金は利益**です。サラリーマンの給料に匹敵するのは、個人事業者の場合は利益ということです。

check

☑ **売上とサラリーマン時代の給料は違う**
　　ということを、まず理解する。

☑ **意識しなければならないのは利益。**
　　利益は売上から経費を引いて求める。

☑ **仕事に必要な経費は、**
　　自由なお金ではない。

WORD けいひ **経費**　事業を行うのに必要な費用のことをいいます。

売上と給料の違い

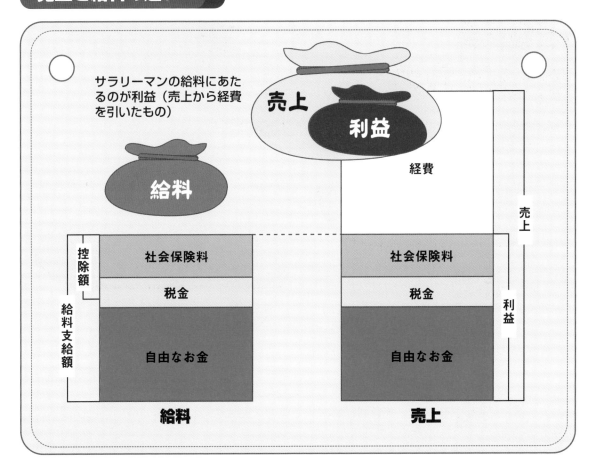

サラリーマンの給料にあたるのが利益（売上から経費を引いたもの）

COLUMN

収入にはいろいろな言い方がある

　収入を表すとき、年収、年商、事業収入、事業所得など、いろいろな言い方をします。よく、起業雑誌や電車の中吊り広告などで "独立・起業して年収3,000万円" といったコピーを目にすることがあります。それを見て、「独立して年収が3,000万円になるなんてすごい！　自分も独立しようかな……」などと思いがちですが、この「年収」が何を意味しているのかに注意しなければなりません。

　実際に個人事業をはじめると、交通費や消耗品費など経費が思いのほかかかることを痛感します。それゆえに、売上なのか利益なのかは大違いです。言葉に惑わされず、実際にどのぐらいの利益になるのか、売上になるのかを確認することが大事です。

 利益は自分の儲けですが、この利益の中から税金を支払わなければなりません。

27

［個人事業者とサラリーマンの違い（情報とリスクの想定）］

適切な情報収集が成功のカギ

個人事業者は、適切な判断をするのに必要な情報集めも自分でしなければなりません。

情報を簡単に集められなくなる

　個人事業者の場合、サラリーマン以上に適切な判断が重要になります。それには「質のよい多くの情報」を集めなければなりません。

　サラリーマン時代には、書籍や統計データなどが当然のように社内にあったので、簡単に、そして豊富に情報を入手できました。

　しかし、個人になるとなかなかそうはいきません。書籍の購入をはじめ、**情報収集にはお金がかかる**ということを痛感することになります。また、オープンにされていない情報については、インターネットなどを活用し、**自分自身で収集・蓄積をしなくてはなりません。**

適切な判断のためには適切な情報が必要

　情報で注意しなければならないのは、**情報の出所や正確性についてしっかり確認をする**ということです。まちがった情報では正しい判断はできません。

　現在は、スマホやタブレットを開けばたくさんの情報を収集することができます。イン

ターネットからの情報は、出所や信憑性など、必ず確認をとる習慣をつけてください。

リスクを想定し回避方法を検討する

　情報をもとに自分で判断した結果が、必ずしもうまくいくとは限りません。

　判断ミスは自分自身の責任です。もし金銭面で判断ミスが起こったような場合、自分だけでなく、家族の人生にも影響を及ぼしかねないところが個人事業の厳しさといえるでしょう。

　たいせつなのは、判断したことに対する「**リスクの想定**」と「**リスクの回避方法の検討**」です。常にこの2つについて意識しておくことがポイントとなります。

check

☑ **個人事業者は自分で情報を集めなければならない。**

☑ **情報の出所、正確性の確認を忘れないこと。**

☑ **判断を下したら、リスクを想定し、その回避方法を検討する。**

情報は出所の確認や分析などの手間をかけると、よりよい情報が集められます。

適切な情報収集が成功のカギ

オープンな情報とクローズされた情報

オープンな情報

無料
- ●公的統計調査
- ●公的機関の情報
  - 法令
  - ルール
  - しくみ など
- ●企業からの情報
  - サービス
  - 商品 など

有料
- ●民間団体統計
- ●統計データ
  - データブック
- ●事例
  - 事例集
- ●書式
- ●理論
- ●ノウハウ（一般論）
  - 実務書 など

クローズされた情報

- ●ノウハウ
  - 製品
  - サービス など
- ●実績
- ●個人や企業データ
  - 名前
  - 電話番号
  - 住所（所在地）
  - 会社内容 など

- ●顧客情報
  - 名前
  - 電話番号
  - 住所 など
- ●企業内情報
  - 人事データ
  - 人事制度
  - 経営内容
  - 事業戦略 など

成功のための情報の選択と判断

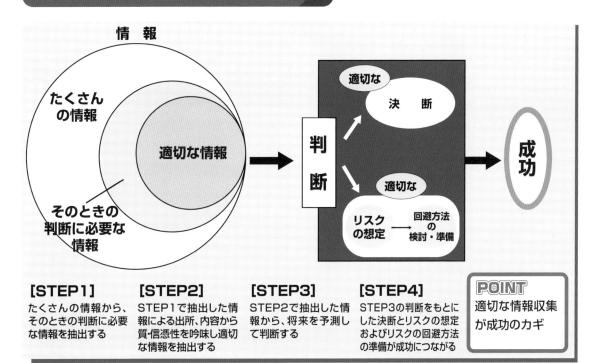

[STEP1]
たくさんの情報から、そのときの判断に必要な情報を抽出する

[STEP2]
STEP1で抽出した情報による出所、内容から質・信憑性を吟味し適切な情報を抽出する

[STEP3]
STEP2で抽出した情報から、将来を予測して判断する

[STEP4]
STEP3の判断をもとにした決断とリスクの想定およびリスクの回避方法の準備が成功につながる

POINT
適切な情報収集が成功のカギ

MEMO 企業データは購入することが可能です。Web上でデータベースとして販売しています。また、上場企業の役員については、経歴など、さまざまな情報も公開されています。

Plan、Do、See が基本

事業内容に関係なく、経営の基本は、Plan、Do、Seeであることを理解しましょう。

目的と計画に基づいた経営が個人事業

　個人事業とは、文字どおり「個人」が「事業」をするということです。個人がやっていれば個人事業であり、どのような事業内容であるかは関係ありません。

　広辞苑で「事業」という言葉の意味を調べてみました（→次ページ）。辞書の言葉を借りるなら、「個人事業をする」とは「個人が一定の目的と計画とに基づいて『経営』をする」ということになります。

経営はPlan、Do、See の繰り返し

　事業の目的はそれぞれ違います。16ページで紹介した「商売・経営タイプ」と「夢実現タイプ」に分けた場合、前者の目的は「儲けたい」かもしれませんし、後者の目的は、まさに「好きな仕事をしたい」でしょう。

　たとえ目的は違っても、目的を達成するために「計画」を立てて（Plan）、その計画にそって「実行」し（Do）、「結果を検証」する（See）という点では同じです。

　とてもシンプルに感じられるかもしれませんが、個人事業もこの基本にそって、「経営」をしていくことがたいせつです。

　そこで今度は、「経営」を辞書でひいてみました（→次ページ）。

　結果を出すためには、Plan、Do、Seeに加えて、「力を尽くすこと」「工夫を凝らすこと」「世話や準備をすること」「忙しく奔走（ほんそう）すること」も必要だということが辞書からもわかると思います。

計画を実行（Do）する

　事業をするということは、具体的にどのようなことを実行するのか、32ページを見てイメージをつかみましょう。

check

- 個人事業とは「個人が一定の目的と計画とに基づいて『経営』をする」こと。

- 経営の基本は「Plan：計画」「Do：実行」「See：検証」。

- Plan、Do、See に加え、力を尽くし、工夫をすることもたいせつ。

MEMO　意外と重要なのが「See」。結果を見て次の計画に生かすために分析をし、反省する点、生かすべき点を見つめましょう。

個人事業の意味

事業とは……

> 一定の目的と計画とに基づいて経営する経済的活動。（広辞苑「第七版」より）

それでは、個人事業とは……

> 個人が一定の目的と計画とに基づいて「経営」をすること

そして「経営」するということは……

> ①力を尽くして物事を営むこと。工夫を凝らして建物などを造ること。
> ②あれこれと世話や準備をすること。忙しく奔走すること。
> ③継続的・計画的に事業を遂行すること。特に、会社・商業など経済的活動を運営すること。また、そのための組織。（広辞苑「第七版」より）

事業・経営すること

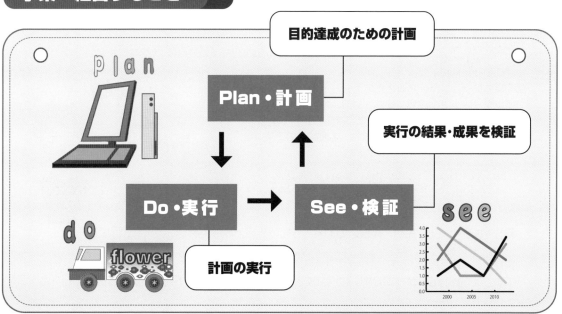

 事業でたいせつなのは継続すること。毎年たくさん開業・起業していますが、逆に廃業もとても多くなっています。

〈企画〉

計画にそった商品の販売のための企画を検討する
■ターゲットをどこにおくか（顧客の絞り込み）
　消費者：男性・女性、子供・若者・中高年、富裕層・一般大衆　など
　企業：利用企業、業種、規模　など
■どんな販売方法にするか
　飛び込み、インターネット、SNS、DM、知人などから
　の紹介、広告　など
■商品の特徴は
　同種の商品との差別化
　（低価格、高性能、使いやすさ、デザイン　など）
■価格は
　競争力・相場・利益目標
　標準価格、特価、期間限定価格　など

企画書
商品の特徴
メインターゲット
販売方法

〈営業〉

企画にそった営業を実行
■何度もチャレンジ、さまざまな工夫
　インターネット：検索エンジン対策、ホームページ
　　の充実、メルマガやSNS、広告の活用　など
　DM：送り先、送付方法、見せ方、文章などの工夫、
　　反応があった相手へのフォロー

> 「1,000に3つの効果」といわれるが
> アイディア次第では、3が10にもなる
> し0になってしまうこともある。

　紹介：人脈の抽出、説明・お願いの工夫、お礼の仕
　　方の検討
　飛び込み：訪問方法、会話、狙う相手、訪問時間、飛び
　　込み先でだれに話しかけるかなどの工夫

限定弁当

美味しそう！！

※オンライン面談ならば
　ハードルが下がる場合もある

WORD **メルマガ**　メールマガジンの略。電子メールを利用して情報発信をすることです。定期
的なものだけでなく、不定期な発行のメルマガもあります。

〈商品（サービス）の提供〉

■商品の納品（サービスの提供）

●商品をお客様のところへ届ける
　直接届ける
　配送する
　店舗陳列を委託する

商品であるサービスをどのように提供するかなど、個人事業者ならではの工夫をしなくてはならない。

〈経理・雑務〉

■お金の回収

●商品代金の受け取り

商品との交換で受け取るのを原則にしたいが、高額のもの、状況により現金での授受ではなく振込みなどで受け取る

●請求書の発行（インボイス対応）

●売掛金の管理

代金を支払っていないお客への催促。これをやらなきゃただ働き！

■入金の確認

●領収書の発行（インボイス対応）

■記録

●売上、経費等、お金の動きを記録する

MEMO　個人事業では、企画・営業・販売もたいせつですが、最後のお金の回収に力を抜いてはただ働きになってしまいます。お金の回収はしっかり意識しておきましょう。

家族の理解なしに成功はない

家族に心配や不安を感じさせることのないよう、
事業内容や計画をきちんと説明しておきましょう。

収入が不安定になり生活も変化する

個人事業をはじめれば、サラリーマンのように定期的に安定して入ってきた収入がなくなります。また、規則正しい、ルールにそった生活もなくなります。仕事に必要な時間や外出先など、さまざまなことが変わってきます。

こういったことに**家族が心配や不安を感じるのは当然のこと**です。

家族の理解を得る

「したいようにさせてくれ！」と家族に甘えることなく、納得できる説明をしましょう。それには、事業ビジョン、収支計画などをしっかり固めておくことが必要です。

自分以外の人間に事業の将来性や安定性を理解してもらうには、自分がやろうとしていることの**内容、計画を説明できるようにしておくこと**が必要です。

家族に理解してもらえるだけの内容や計画、そして説明力・説得力がなければ、事業を成功させることはできません。

家族に協力してもらう内容を話し合う

開業当初は、予想できないこともたくさん出てきます。他人に協力を頼むと経費がかかるだけでなく、トラブルが起こる可能性もあります。そのため、経理や雑務は臨機応変に対応してもらえる家族に頼むことが、個人事業の場合は特に多いようです。

事業を開始する前に、**どの程度、どのような面で協力してもらうか**について考え、きちんと話し合っておきましょう。

「事業」または「家族」がうまくいかなくなったために、家族崩壊という例が多いようにも感じます。家族と他人、**それぞれのよさを理解しておく**ことがポイントとなります。

check

☑ 事業開始は、家族に心配と不安を
与えることを肝に銘じる。

☑ 十分に家族の理解を得る。

☑ 家族に「何を」「どの程度」
協力してもらうかを話し合う。

MEMO 個人事業を家族から反対された場合、安易に反対を押し切って事業を開始すると、理解を得られていないという精神的な不安やプレッシャーのほか、ちょっとした雑務なども家族の協力が得られないので厳しいスタートになります。

家族への説明

家族と他人のメリット・デメリット

	家族の場合	他人の場合
メリット	●一生懸命やってくれる ●臨機応変に対応してくれる（変化する業務をこなしてくれる） ●時間や報酬を気にせずに協力してくれる ●経費の節約になる（報酬なしや少額の報酬が可能）	●仕事とプライベートが分けられる ●感情的に意見をぶつけ合うことが少ない ●家庭の問題が仕事に影響しない
デメリット	●仕事とプライベートを混同しやすい ●感情的に意見をぶつけ合う可能性が高い ●家庭の問題が影響しやすい	●経営状況にあわせて、賃金・労働時間などの変更がしにくい（できにくい） ●経営の考え方等について理解を得るのが難しい ●経費がかかる

MEMO　配偶者が仕事をもっているような場合は、今やっている仕事をやめていっしょに個人事業をはじめる選択もありますが、家庭全体として考えると個人事業以外の収入の確保ができるのでリスク分散になります。

［健康と時間］
個人事業者は人一倍 健康に気をつける

**個人事業者は、ついつい無理をしてしまいます。
健康にはいつも気を配るように心がけましょう。**

健康には十分注意する

　ほとんどの人が「健康」を前提に個人事業をはじめようと考えているはずです。しかし、「健康」は絶対ではありません。**個人事業は体が資本**といっても過言ではありません。

　サラリーマンの場合、組織で仕事をしているので病気やケガで会社を休んでも、自分の代わりの人がいます。しかし、個人事業では、家族や従業員、仲間がいる場合を除き、代わりの人はいません。**個人事業者は「1人4役」**です。そして**判断者であり実行者**です。

　さらにいえば、個人事業は、不規則な生活になりがちで、仕事にもつい夢中になりやすいので、余計体に負担がかかる可能性があります。だからこそ、**健康には人一倍気をつけなくてはならない**のです。

時間を意識する

　サラリーマンのときのような「労働時間」という意識がなくなるのが個人事業です。少しでも早く、そして多くの結果を出すために一生懸命で、何時間仕事をしたのかという意識が薄れてきます。

　しかし、1日は24時間しかありません。個人事業は「がんばればできる！」と思いがちですが、すべての決断・決定をし、考え、実行する「1人4役」をこなしていくと、あっという間に時間が足りなくなってしまいます。時間が足りなくなると、ついつい「睡眠時間を削って……」となりやすく、健康への影響も心配です。

　また、家族と過ごす時間が減り、家族との関係に影響が出たりします。

　時間は無限にあるともいえますが、1日はだれにでも平等であり、限りあるもの。そして、取り戻すことができないものです。

　個人事業をはじめるにあたって**「時間」というものを改めて意識してください**。

check

☑ **健康は絶対ではないことを理解し、健康管理をきちんとする。**

☑ **効率的に働くため時間について考えてみる。**

☑ **家族と過ごす時間も意識する。**

個人事業者はサラリーマンのように健康診断を受ける権利も義務もありません。でも、個人事業は体が資本。そして不規則な生活になりがちです。きちんと定期的に健康診断を受けましょう。

個人事業者は人一倍健康に気をつける

健康・時間のチェック

《事業開始前の健康チェック》
- 人間ドックへ行って異常がないか確認しておこう
- 歯医者へ行こう（虫歯、口臭、歯並びチェック）
- かかりつけにする医者（病院）と救急病院を確認しておこう

《事業開始後の健康チェック》
- 決まった時間にバランスのいい食事をとろう
- 定期的（毎日、1週間ごと）に運動、体操をするよう心がけよう
- 睡眠時間は一定以上とろう（個人差があるので注意）
- できるだけ深夜の作業は避けよう
- 週に一度は仕事から離れて休もう
- 1年に一度は人間ドックへ行こう

《時間のチェック》
- スケジュール管理をしよう
- スケジュール管理では、変更、予想外の対応を考慮しておこう
- 訪問やアポイントのほか、作業時間＋αを考えてスケジュールを立てよう
- 家族とかかわる時間の変更はできるだけやめよう

COLUMN

無理は禁物

　サラリーマンだったころ、「こんなに働かされて……」と不満を感じた経験をおもちの方も多いと思います。しかし、個人事業者になると、「やらされる」ではなく「自分でやる」に意識が変わります。これが個人事業をはじめる大きな変化といえるかもしれません。そのため、つい無理をしがちです。

　でも、健康を過信してはいけません。健康を維持するために必要な睡眠時間、とかく乱れやすい生活のリズム……。「優先順位」を意識して限られた時間を有効に使い、仕事と生活に100％の状態で取り組めるよう、健康には十分に注意してください。

MEMO　人間ドックには一般的に半日、1日、2日などの種類があり、検査のオプションなどもいろいろです。値段は検査内容や病院によって千差万別。公的な病院の例でも1日コースになると5万円程度はかかります。

著者の経験談から①
前向きさがあるなら個人事業をはじめよう

◆個人事業なら……

人生の転換期。

人間として働いていく以上、どんな仕事もラクではない。「それなら、自分はどんな仕事をしていきたいか？」と私は考えました。

「どれほどの収入を得ればやっていけるのか？」「家族は？」「将来は？」「老後は？」

私がしたいことは「人と接すること」。そして、「ありがとう」といわれる仕事をすること。自らサービスを作り出す仕事。そして、「人からよく相談される」「人の気持ちを理解する」という自分の特長を生かし、いつでも、どこでも、やり続けられる仕事。

その結果、私は専門家になって相手にわかりやすいアドバイスをする仕事をしようと決めました。

そして、もう1つ。個人事業なら時間の使い方を自分で決められるので、子育てと仕事の両立がしやすいと考えました。まだ、小さかった子供2人の学校行事にも欠かすことなく参加ができると考えました。

◆現実は厳しい

「自営業、自由業は不自由業！」

やっととった仕事のためにろくに寝ずに仕事をしたり、子供中心のはずが、仕事中心の生活になってしまったり……。時間の使い方も生活や人生の優先順位も、自分の気持ちしだいで逆転してしまう危険性を含んでいるのが個人事業だと痛感しました。

個人事業には自分で決断して行動できるすばらしさがあります。そして自分の気持ちや考えひとつで時間や行動が、自由にも不自由にもなります。

個人事業は決してラクじゃありません。でも、苦しい中にも楽しいことが、厳しい中にも明るいことが必ずあります。必要なのは「前向きさ」です。自分の中に前向きな気持ちがあるのなら、私たちのように個人事業をはじめてみませんか？

第2章

Chapter 2

事業開始に向けて

お世話になった会社のルールに従う……40

個人事業者は失業給付を原則受給できない
……44

退職後の選択肢は3つある……46

個人事業者は国民年金に加入する……48

退職金の種類と金額を確認しておく……50

自分で税金の計算をし自分で納付する……52

［退職時、退職後にすること］

お世話になった会社の
ルールに従う

お世話になった会社のルールに従って、
退職時の手続きはスムーズにすませましょう。

手続きについて確認する

　サラリーマンの場合、個人事業をはじめることを決心したら、会社を退職しなければなりません。退職に際しては、いつまでに何をするのかをきちんと把握しておくことがたいせつです。

　退職に関する手続きを時期と内容に分けて見てみましょう。

　手続きの時期については「退職まで」「退職時」「退職後」の3つに分けて、**それぞれ何をしなければならないかを把握**します。

　同様に、手続きの内容についても「**社内の手続き**」「**社会保険の手続き**」「**税金の手続き**」の3つに分けて把握します。

◆社内の手続き

　最初にすることは「退職の意思を上司に伝える」ことです。

　民法上、希望する退職日の最低2週間前までに退職の意思を伝えれば、退職することができます。

　しかし、就業規則等で最低1か月前までに退職の意思を通知することを決めている会社もあります。

　円満退職をするためにも、**早めに退職の意思を伝える**だけでなく、**会社のルールに従う**ほうがいいでしょう。

　そして、退職日が決まったら、
- 担当業務の引き継ぎ
- 会社への返却物の確認
- 必要書類の提出

をします。

◆社会保険の手続き

　社会保険の手続きとは「健康保険や国民健康保険等の医療保険」「国民年金・厚生年金等の公的年金と企業が任意に加入している企業年金」「雇用保険」です。

　会社を辞める手続きは原則会社が行うので、自分でする必要はありません。

　しかし、退職後に**新たに自分で加入する医療保険や年金の手続きは自分でしなければなりません**（詳しくは→46〜49ページ）。

◆税金の手続き

　在職中は、税金の計算や国への納税を本人に代わって会社が行っています。

　しかし、退職すると自分で手続き等をしなければなりません（詳しくは→52ページ）。

 WORD しゅうぎょうきそく
就業規則　従業員が守らなければならない就業に関するルールをまとめた規程です。職場に備え付けることになっています。

退職願の書き方

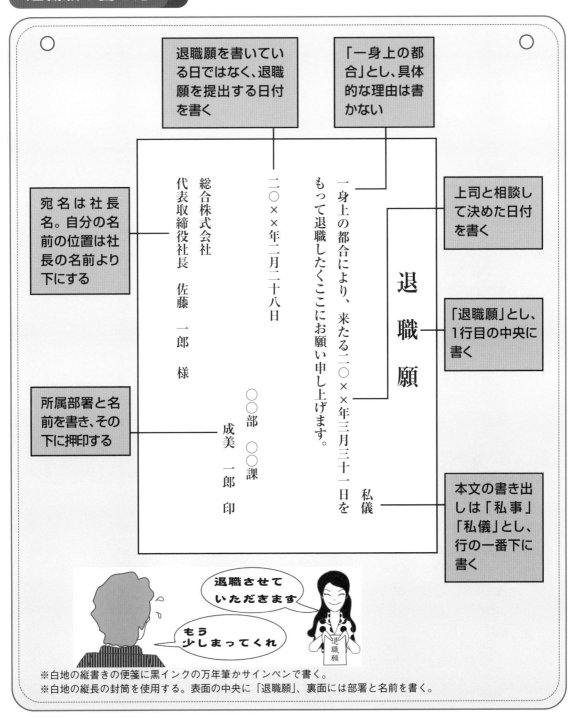

退職願を書いている日ではなく、退職願を提出する日付を書く

「一身上の都合」とし、具体的な理由は書かない

宛名は社長名。自分の名前の位置は社長の名前より下にする

上司と相談して決めた日付を書く

「退職願」とし、1行目の中央に書く

所属部署と名前を書き、その下に押印する

本文の書き出しは「私事」「私儀」とし、行の一番下に書く

> 総合株式会社
> 代表取締役社長　佐藤　一郎　様
>
> 二〇××年二月二十八日
>
> 一身上の都合により、来たる二〇××年三月三十一日をもって退職したくここにお願い申し上げます。
>
> 退職願
>
> 私儀
>
> ○○部　○○課
> 成美　一郎　印

退職させていただきます

もう少しまってくれ

※白地の縦書きの便箋に黒インクの万年筆かサインペンで書く。
※白地の縦長の封筒を使用する。表面の中央に「退職願」、裏面には部署と名前を書く。

MEMO

退職願は、丁寧に書きましょう。また、会社独自のフォームで「退職届」がある場合もあります。

退職に関する手続き

《退職までの手続き》

- **退職願の提出**
- **業務引き継ぎ**
- **財形貯蓄制度の解約**（会社で財形貯蓄をしていた場合）
- **社内預金の解約**（社内預金をしていた場合）
- **社内融資の清算**（社内融資を受けていた場合）
- **退職所得に関する申告書の提出**（退職金が支給される場合）

《退職前の手続き》

- **健康保険証の返却**
- **身分証明書・社章の返却**
- **制服・その他備品等の返却**
- **通勤定期券の精算**

《退職時と退職後の手続き》

- **健康保険の加入手続き**

退職後すぐに手続きすること！

  - ●国民健康保険に加入する場合……住所地の市区町村役場で手続きをする
  - ●健康保険の任意継続をする場合……会社が加入していた健康保険の窓口で手続きをする
- **国民年金の加入手続き**
  - ●年金手帳をもって住所地の市区町村役場で手続きをする

配偶者を扶養にしていた場合は配偶者の年金手帳も忘れずに！

- **雇用保険の失業給付申請**
  - ●退職時に受け取った雇用保険の離職票をもって住所地を管轄するハローワークで手続きをする
- **確定申告**
  - ●確定申告をする

確定申告の時期は2月から3月

- **住民税の支払い**
  - ●退職後しばらくすると、市区町村から納付書が届く。受け取ったら期日までに納付する
- **厚生年金基金等企業年金の手続き**
  - ●手続きの案内が届くので、忘れずに手続きをする

放置すると老後に困ることになる！

WORD **企業年金**（きぎょうねんきん） 民間の企業が独自に行う年金制度です。大企業では、この制度がある場合が多いので、必ず確認をしてください。

会社から受け取っておくもの

▼ **雇用保険 被保険者証**
▼ **雇用保険 離職票**
▼ **年金手帳**（会社に預けてある場合）
▼ **厚生年金基金証**（厚生年金基金に
　加入している場合。加入している
　厚生年金基金によって発行してい
　ない場合もある）
▼ **源泉徴収票**（給与所得分）
▼ **源泉徴収票**（退職所得分）

　■**必要に応じて会社に**
　発行してもらうもの
▼ **健康保険被保険者資格喪失確認通**
　知書
▼ **退職証明書**

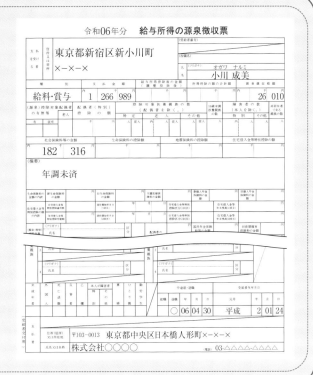

会社に返却するもの

■**会社から貸与されているもの**
　社員証・ID カード、制服、携帯電話、パソコン、ロッカーの鍵など
■**その他**
　名刺、共用のファイルなど

MEMO　退職後会社に手間をかけさせないよう、受け取るもの・返却するものはリストアップして
もれのないようにしましょう。

[雇用保険の手続き]

個人事業者は失業給付を原則**受給**できない

個人事業をはじめようという人は、原則失業保険の
給付を受けることができません。

雇用保険手続きの手順

退　　職	
求職の申し込み	●住所地を管轄するハローワーク（公共職業安定所）へ行く
ハローワークへ行く	●以下のものを準備する
	・離職票……会社の退職時に受け取ったもの
	・写真……縦3cm×横2.5cmの正面上半身のもの2枚
	・マイナンバーカード、マイナンバーの記載のある住民票など、マイナンバーが確認できるもの
	・パスポートや運転免許証など身元確認のできるもの
	・本人名義の預金通帳
受給資格決定	●離職票を提出する
	●受給説明会の日時を案内される
受給説明会	●「雇用保険受給資格者証」「失業認定申告書」を受け取る
ハローワークへ行く	●第1回失業認定日が決定する
失業の認定	●失業認定日（原則として4週間に1度）に失業の認定
ハローワークへ行く	（失業状態にあることの確認）を行う
受　　給	●4週間分の基本手当を受給する

《再就職手当が支給されるケースがある》

■基本手当を受給していた人が安定した職業に就き（事業主となることも含まれる）、基本手当
の支給残日数が給付日数の3分の1以上あり、一定の要件に該当する場合に受給できる。

《退職理由で受給開始時期が異なる》

退職理由には「自己都合退職」と「会社都合退職」がある。

■自己都合退職の場合、基本手当の受給までに給付制限期間があり、原則2か月間は受給できない。

■会社の都合で解雇された場合や定年退職の場合、給付制限期間がない。

MEMO　ハローワークの所在地がわからない場合は、ホームページで調べることができます。
https://www.hellowork.mhlw.go.jp/

個人事業者は失業給付を原則受給できない

12か月以上の加入期間が必要

雇用保険は、主に失業の状態になったときに備えて加入する保険です。

「仕事をする能力と意欲がある人で就職できない人」が給付（基本手当という）の条件になっています。そのため、**開業予定者は、厳密にいえばこの条件にはあてはまらないこと**になります。

ただ、会社をやめてから事業の具体的な活動をはじめるまでの期間、生活の安定のために活用できるなら活用しましょう。

基本手当を受給するためには、退職以前の2年間に通算して12か月以上（特例により6か月以上で要件を満たす場合もある）、雇用保険に加入していなければなりません。この期間は通算なので、A社で9か月、引き続きB社で3か月というように、会社が違っていてもOKです。

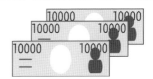

基本手当の所定給付日数

A 特定受給資格者および一部の特定理由離職者（Cを除く）

区分 ＼ 被保険者であった期間	1年未満	1年以上 5年未満	5年以上 10年未満	10年以上 20年未満	20年以上
30歳未満	90日	90日	120日	180日	－
30歳以上35歳未満	90日	120日	180日	210日	240日
35歳以上45歳未満	90日	150日	180日	240日	270日
45歳以上60歳未満	90日	180日	240日	270日	330日
60歳以上65歳未満	90日	150日	180日	210日	240日

B 特定受給資格者および特定理由離職者以外の離職者（Cを除く）

区分 ＼ 被保険者であった期間	1年未満	1年以上 10年未満	10年以上 20年未満	20年以上
全年齢	－	90日	120日	150日

C 就職困難者

区分 ＼ 被保険者であった期間	1年未満	1年以上 5年未満	5年以上 10年未満	10年以上 20年未満	20年以上
45歳未満	150日	300日			
45歳以上65歳未満	150日	360日			

※基本手当は、雇用保険に加入していた期間や年齢、離職理由によって給付される日数が異なる。
※就職困難者とは、身体障害者、社会的事情により就職が著しく阻害されている者などのこと。
特定受給資格者および特定理由離職者の要件については最寄りのハローワークへお問い合わせください。

MEMO　年齢の高い人や勤続年数の長い人は、失業給付を多く受給できるしくみになっています。また、65歳以上で退職された方には一時金が一括支給されます。

[医療保険の手続き]
退職後の選択肢は3つある

退職後に加入する医療保険の選択肢は3つあります。
それぞれの特徴をきちんと理解しましょう。

3つの選択肢から医療保険を選ぶ

退職すると、会社の社会保険もやめることになり、健康保険証も返却することになります。だからといって、医療保険に「加入しない」というわけにはいきません。

退職後加入する医療保険の選択肢として、以下の3つがあります。

◆国民健康保険

原則、退職後14日以内に**住所地の市区町村役場で手続き**をします。手続きは簡単ですが、会社を退職したことがわかる書類が必要となる場合があります。

会社を辞めた後、国民健康保険に加入することがわかっている場合は、「退職証明書」など、退職日が確認できる書類を発行してもらっておくと処理がスムーズです。

◆任意継続

勤めていた会社の健康保険に**退職後も引き続き加入できる制度が任意継続**です。会社が健康保険組合加入であれば、その健康保険組合の窓口で手続きをします。国が運営している健康保険に会社が加入している場合は、自分の住所地を管轄する全国健康保険協会（協会けんぽ）の都道府県支部で手続きをします。

手続きは退職後20日以内に行わなければなりません。1日でも過ぎると任意継続の手続きはできなくなるので、注意が必要です。

任意継続の手続きにも「退職証明書」などの添付書類が必要となる場合があるので、事前に確認しましょう。また最低でも1か月分の保険料を先に納めなくてはならないので現金も用意します。

任意継続制度には**最長2年間加入**できます。

◆家族の扶養

家族の扶養に入る場合は、**家族の勤務先に届出**をし、扶養家族になったことを伝えて手続きをしてもらいます。この場合、保険料はかかりません。

---

check

☑ 国民健康保険の加入手続きには退職日が確認できる書類を持参する。

☑ 任意継続は会社をやめてから20日以内に手続きをする。

☑ 家族の扶養になると保険料はかからない。

MEMO　協会けんぽの管轄区域は、ホームページで調べることができます。
https://www.kyoukaikenpo.or.jp/

医療保険制度の比較

	国民健康保険	任意継続	家族の扶養
窓口	住所地の市区町村役場	会社が加入していた健康保険組合または住所地を管轄する協会けんぽ	家族の勤務先
手続きの期限	退職後原則14日以内	退職後20日以内	早めに
自己負担	3割	3割	3割

※自己負担は病院等にかかった場合の負担割合。

保険料の比較

2024年4月現在

	国民健康保険	任意継続	家族の扶養
健康保険	11.49%（支援金分含む）[*1]	9.98%	なし
介護保険	2.36%	1.60%	なし
保険料の対象所得	前年度所得	退職時の給与	―
上限額	106万円／年[*2]	34,740円／月	―

＊1：一世帯単位での加入者全員の賦課基準額にかけられる
＊2：一世帯あたりの上限額
※国民健康保険は、世田谷区の場合。
※任意継続は協会けんぽ東京支部の場合。
※国民健康保険の保険料は、所得の割合に応じて決まる「所得割」と一律にかかってくる「均等割」という考え方をもとに保険料が算出される（資産割といって資産に対して保険料を掛ける市区町村もある）。上記の料率に加入者1人につき均等割額65,600円（介護保険対象者は、＋16,500円）が加算される。
※任意継続の保険料は全額自己負担になる（勤務時は会社が半分負担していた）。事前に保険料の金額を確認してから手続きに行く。

注意！
市区町村により保険料率や計算方法が多少異なるので、事前に住所地の市区町村役場に確認しておくこと。家族全員の保険料で比較すること。

COLUMN

どの制度に加入するのが得か？

　家族の扶養になれば保険料はかかりません。ただし、誰もが扶養家族になれるわけではなく、事業が軌道に乗って、所得が増えれば扶養からはずれなければなりません。

　国民健康保険と任意継続では保険料の計算が異なるので、事前に確認しておきましょう。給付面ではあまり差がありません。

　とりあえず保険料を比較して安いほうに加入することをおすすめします。ただし、任意継続は最長で2年間しか加入できません。その後は国民健康保険に加入しましょう。

MEMO　国民健康保険では世帯所得が昨年よりも30％以上減少している場合や、雇用保険の「特定受給資格者」または「特定理由離職者」（非自発的失業者）の人に保険料の軽減措置があります。

[年金の手続き]

個人事業者は 国民年金に加入する

個人事業者は第1号被保険者となり、国民年金に加入しなければなりません。

厚生年金には加入できない

会社員の期間は厚生年金に加入しているため、国民年金においては、第2号被保険者という立場でした。しかし、会社を退職し個人事業者になると、厚生年金からは脱退し、**国民年金の第1号被保険者となります**（→次ページ）。

年金制度は大きく2つある

◆国民年金

国民年金には、自営業者だけでなく、厚生年金などの加入者とその配偶者など、20歳以上60歳未満の国内に住んでいる人すべてが加入します。

それぞれの立場により第1号被保険者から第3号被保険者に分かれます（→次ページ）。

◆厚生年金

厚生年金が適用される会社に勤めるサラリーマンは、国民年金と厚生年金の2つの年金制度に加入します。

市区町村役場で加入の手続きを行う

退職後は、**国民年金の手続きをする**ことになります。年金手帳を持参し、国民健康保険と同様に住所地の市区町村役場で加入の手続きを行います。

サラリーマン時代に配偶者を扶養家族にしていた人は、配偶者も第3号被保険者から第1号被保険者に変わります。同時に配偶者の手続きも行いましょう。

自営業者が老後のために積立を行う制度に「国民年金基金」と「個人型確定拠出年金（iDeCo）」があります。国民年金の給付だけで心配な場合は、加入をおすすめします。掛け金はいずれも所得控除対象となり、老後は給付が受けられます。

check

☑ **サラリーマンと違い、個人事業者は国民年金に加入する。**

☑ **配偶者を扶養家族にしていた場合は、配偶者の手続きも同時に行う。**

☑ **国民年金保険料の納付は忘れずに行う。**

MEMO 2022年4月より年金手帳が廃止となり「基礎年金番号通知書」の交付が始まっています。いずれにしても基礎年金番号は一生使うので、たいせつに保管しておきましょう。

個人事業者は国民年金に加入する

公的年金のしくみ

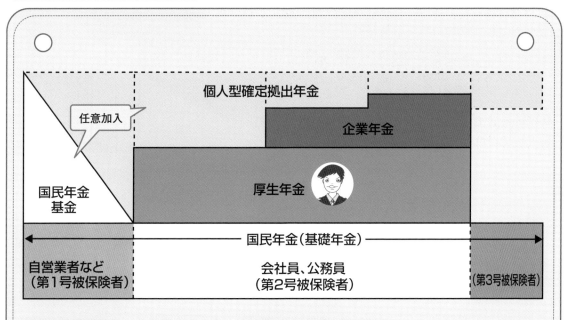

●第1号被保険者：自営業者や学生、自由業の人など
●第2号被保険者：会社に勤務するサラリーマンおよび法人の役員、公務員など
●第3号被保険者：第2号被保険者に扶養される配偶者（専業主婦・主夫）

※国民年金の給付には、老後の給付である老齢基礎年金、障害者になったときの給付である障害基礎年金、遺族への給付である遺族基礎年金がある。
※共済年金は2015年10月より厚生年金に統合された。

COLUMN

国民年金はしっかり納付を！

　国民年金の未納・未加入が話題になっています。毎月高い保険料を払い続けても将来年金はどうせもらえない、だから未納のままにしておくようです。

　しかし、よく考えてみましょう。65歳からは終身で受け取れる年金です。さらに障害や死亡の保障もついているのです。同じような保障の民間の保険に加入するとなると、掛け金は国民年金保険料の比ではなくなるはずです。

MEMO　国民年金基金の掛け金の上限は、月額68,000円です。1年分を前納すると掛け金の割引もあり、お得です。

[退職金の手続き]

退職金の種類と金額を
確認しておく

退職金は大きな事業資金となります。
退職金の手取額を確認しておきましょう。

退職金には一時金と企業年金がある

　会社を退職すると退職金を受け取れる場合があります。一般的に退職金と呼ばれるのは、退職時に一時金として支給されるものです。

　これ以外に企業年金として支給されるものなどがあります。

　自分の会社にどのような種類の退職金があるのか、いくらぐらい受け取ることができるのか、**事前に確認**しておきましょう。

退職一時金の手取額を把握しておく

　会社の規程として決められているルールに従い、勤続年数や退職時の給与の額に応じて、退職金額が算出されることになっています。

　退職金は、通常の所得と違い、まとまった金額を一度に受け取っても税金面では優遇措置がとられています。税金は勤続年数と金額により決まります。

　まとまったお金は、その後の事業資金として流用できることもあるので、会社の規程を確認し、いくら受け取れるのか、また**税金を**

引かれた後の手取り額はどれくらいになるのかを確認しておきましょう。

企業年金に加入しているかどうかを確認する

　企業年金には、厚生年金基金、中小企業退職金共済制度、確定拠出年金、確定給付企業年金など、いくつかの種類があります。

　企業年金に会社が加入している場合、会社から支給される退職一時金以外に、企業年金から年金に代えて一時金が支給される場合があります。

　これらの企業年金は、退職後に直接それぞれの機関から連絡がきます。

　会社にどのような制度があるのか**事前に確認**しておきましょう。

check

- ☑ 会社の規程に基づき、退職金の額（手取額）を確認する。
- ☑ 退職金にかかる税金についても確認しておく。
- ☑ 企業年金に加入しているかどうかを確認し、退職後の手続きもあわせて行う。

WORD たいしょくきん **退職金**　退職を事由として支払われるまとまったお金を、所得税法では「退職所得」といいます。

50

退職金にかかる税金の計算例

所得税（復興特別所得税）・住民税 ＝（退職金－退職所得控除額）×１／２[※1]×税率[※2]

■退職所得控除額

勤続年数20年以下……40万円×勤続年数（最低80万円）

勤続年数20年超………800万円＋70万円×（勤続年数－20年）

※1：役員等勤続年数が5年以下である場合は「×1／2」はない。また、役員等以外で勤続年数が5年以下の場合は、退職所得控除額を控除した残額の300万円を超える部分について、「×1/2」の適用はない（2022年より）。

※2：下のCASEの場合所得税5％、復興特別所得税2.1％、住民税10％。

CASE 勤続25年 退職金額1,500万円

〔1,500万円－{800万円＋70万円×（25年－20年）}〕×１／２＝175万円

<u>退職金額</u>　　<u>退職所得控除額</u>

所得税：175万円×<u>５</u>％＝87,500円

　　　　　　税率

復興特別所得税：87,500円×<u>２.1</u>％＝1,837円

　　　　　　　　　　税率

住民税：175万円×<u>10</u>％＝175,000円

　　　　　　税率

合計　264,300円

100円未満切り捨て

COLUMN

iDeCo（個人型確定拠出年金）

　iDeCoとは、公的年金にプラスして給付を受けられる私的年金の1つです。

　加入は任意で、自身で掛金を運用する制度です。掛金とその運用益との合計額が給付額となるため、運用によっては掛金よりも減る可能性もあります。

　しかし、掛金、運用、給付のそれぞれに税制上の優遇措置が講じられているので、自営業者にはなにかとメリットがあるといえるでしょう。

　掛金は自営業者の場合、国民年金基金と合算して月額68,000円が上限となります。また、退職した会社の退職金制度によっては退職金として積み立てられていた掛金をそのままiDeCoへ移換し運用を続けることも可能です。

　退職前にあわせて確認し検討するようにしましょう。

MEMO 確定拠出年金は、個人事業者になってからも継続できます。今までは会社が掛金を出してくれていましたが、継続する場合は、自分で掛金と手数料等を支払うことになります。

自分で税金の計算をし自分で納付する

個人事業者は確定申告をします。
また、確定した税金の納付も自分自身で行います。

個人事業者にかかる税金は所得税と住民税

　会社に勤務しているときは、税金のことはほとんど会社がやってくれます。退職すると、計算も納付も自分でやらなければなりません。

　個人にかかってくる税金は、大きく所得税と住民税の2つです。

個人事業者は確定申告が必要

　所得税は、1月から12月までの1年サイクルで精算します。

　会社に勤務しているときは、12月に年末調整というかたちで、会社が精算作業をしてくれました。会社を辞めて個人事業を開始すると、この精算作業を確定申告という手続きによって、自分でしなければなりません。

　退職したはじめての年は、翌年の2月16日から3月15日までの間に**住所地を管轄する税務署に行って（または郵送等）確定申告を行います**。その際、**退職時に受け取った「源泉徴収票」が必要**になるので、それまでたいせつに保管しておきましょう。

住民税の納付も自分でする

　住民税は、前年の所得に対して税額が決まります。翌年の6月から翌々年の5月までの期間、12等分したものを毎月給与天引きする方法で徴収されます。

　会社に勤務しているときは、この手続きもすべて会社が行っていました。

　退職時に**住民税の残額があれば、一括で徴収されるか、自分で直接市町村へ納付するか**の選択をすることになります。

　金額面で、一括支払いが可能であれば、そのほうが、その後の手間が少なくなります。ただしそれも1年目だけです。その後は、自分で納付をしていくことになります。

check

☑ **個人事業をはじめたら、翌年2、3月に確定申告をする。**

☑ **確定申告には退職時に受け取った源泉徴収票が必要。**

☑ **住民税は退職時に一括で支払う方法もある。**

 WORD

**ねんまつちょうせい
年末調整**
その年の1月から12月までのすべての所得を合算して税金の再計算を行い、月々天引きされていた源泉所得税の額との精算をすることです。

自分で税金の計算をし自分で納付する

住民税のしくみ

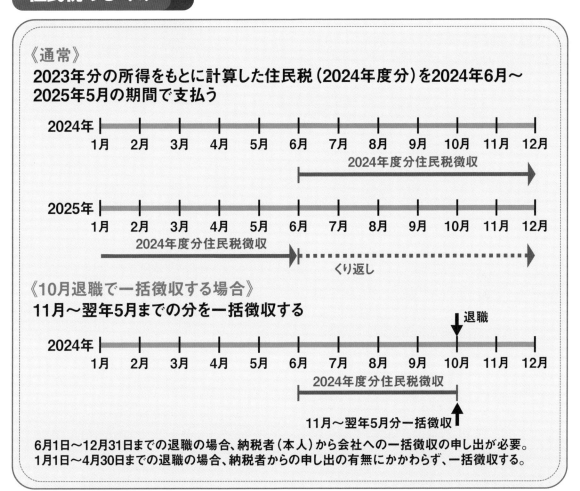

《通常》
2023年分の所得をもとに計算した住民税（2024年度分）を2024年6月〜2025年5月の期間で支払う

《10月退職で一括徴収する場合》
11月〜翌年5月までの分を一括徴収する

6月1日〜12月31日までの退職の場合、納税者（本人）から会社への一括徴収の申し出が必要。
1月1日〜4月30日までの退職の場合、納税者からの申し出の有無にかかわらず、一括徴収する。

COLUMN

個人事業主であっても特別徴収義務がある

　個人事業主であっても、従業員に給与を支払い、その給与に所得税が発生する場合は特別徴収を行う義務があります。

　特別徴収とは、事業主（給与支払者）が従業員（納税義務者）に代わり、毎月給与から個人住民税を差し引き、納入する制度です。

　地方税法では、所得税を源泉徴収している事業主については、従業員の個人住民税を特別徴収しなければならないことになっています。

MEMO　住民税は前年の所得に対してかかってくるため、前年の所得が高いと次の年に多額の住民税を支払うことになります。

著者の経験談から②

事業を開始することで
今までとは違う感覚が身につく

◆会社員との違いを痛感

　会社を退職して実感することは、「会社はいろいろな手続きを自分の代わりにやってくれていた」ということです。

　日本の会社員は会社に守られています。保険や年金、さらに税金関係。個人のことなので、自分でやらなければいけないことなのに、事務手続きは、すべて会社がしてくれます。

　その点、個人事業者は、すべて自分でやらなければいけません。税金を一例にあげれば、会社員は「源泉徴収制度」といって給料から所得税を天引きされています。本来であれば国民はすべて確定申告をする必要があります。しかし会社員だけは、会社が前もって所得税分を差し引き、個人に代わって税務署に税金を納めているのです。

　会社員はガラス張りといわれるように、いっさいを会社にまかせているため、節税はのぞめません。「日本人は税金の使い道に関心がない」といわれるのは、この『源泉徴収』という制度のためだともいわれます。

◆税金のしくみがわかる

　個人事業をはじめれば、自分の納めるべき税金はみずから計算して税務署に納めることになります。自分の判断で経費も使えます。節税は悪いことではありません。大いに節税しましょう。

　自分で税金を計算し納付すると、「こんなにたくさん払っているんだ」ということを実感できるはずです。税金の使い道にも敏感になるでしょう。

第3章

各種届出から確定申告まで

届出は税務署からスタートする……56

屋号で事業のイメージを伝える……64

個人事業税の対象になるか確認する……66

労働基準監督署で労災保険の手続きをする
……68

雇用保険に加入しなければならない……72

年金事務所へ届け出る……76

通帳を使えば手軽に資金管理ができる……80

将来の計画を立てる資料となる……82

会計ソフトの利用がおすすめ……84

記帳から確定申告までの流れをつかむ……88

確定申告の準備をする……90

損益計算書で事業成績を算定する……92

貸借対照表で財政状態がわかる……94

損益計算書の金額の内訳を表す……96

確定申告書を作成して税額を計算する……98

所得の内訳や所得控除を記載する……100

事業を開始して2年間は免税事業者になる
……102

簡易課税なら消費税の計算が簡単……104

帳簿や証憑類は整理して7年間保存する……108

届出は税務署から
スタートする

個人事業をはじめる場合、さまざまな届出が必要です。
まずは税務署への届出をすませましょう。

開廃業届出書は必ず提出する

　個人事業を開始するにあたっては、**いろいろな届出が必要**になります。ここでは、税務署に提出する「届出書」について説明します。

　提出書類は、主に7種類あります（→下記の表）。このうち「開業・廃業等届出書」はすべての事業者に必須ですが、それ以外は必要に応じて提出することになっています。

　用紙は税務署の窓口でもらうことができます。国税庁のホームページからダウンロードした書式を使用してもかまいません。

　書式のPDFに必要事項を入力してプリントすることもできます。

届出書一覧

届出書の名称	提出要件	提出期限	
		通常	開業年等
個人事業の開業・廃業等届出書	開業したら必ず提出する	開業後1か月以内	
所得税の青色申告承認申請書	青色申告を選択する場合に提出する	青色申告をしようとする年の3月15日まで	その年の1月16日以後、事業開始した場合には、その日から2か月以内
青色事業専従者給与に関する届出書	青色申告をする事業者が生計を一にする15歳以上の親族に給与の支払いをする場合	必要経費に算入しようとする年の3月15日まで	その年の1月16日以後、事業開始した場合や新たに専従者がいることとなった場合には、その日から2か月以内
給与支払事務所等の開設届出書	給与を支払うことになった場合	従業員を雇うようになった日から1か月以内	
源泉所得税の納期の特例の承認に関する申請書※1	源泉所得税の納付を年2回にしたい場合	随時（給与の支給人員が10人未満の場合）	
所得税の減価償却資産の償却方法の届出書※2	定率法を選択する場合	手続対象者となった日の属する年分の確定申告期限まで	
消費税課税事業者選択届出書※3	免税事業者が消費税の還付を受ける場合	適用を受けようとする課税期間の初日の前日まで	事業を開始した日の属する課税期間中

※1：給与の支給に際して預かる源泉所得税は翌月10日までに納付するのが原則。常時雇用する従業員が10人未満の事業者は、この申請書の提出により特例として年に2回（7月10日と1月20日）まとめて納付すればよいことになる。
※2：定額法は、毎年一定額を償却する方法。定率法は、はじめの年に多くの償却費を計上し、その後徐々に減っていく方法。
※3：輸出業をする事業者や開業にあたって多額の設備投資をしたため消費税の還付を受けようとする場合は、この届出書を提出して課税事業者となることができる（ただし、この届出をすると2年間は納税義務を免れないことに注意）。

MEMO　届出書は2部作成して、1部は自分の控えとしてとっておくようにするといいでしょう。

届出は税務署からスタートする

個人事業の開業・廃業等届出書の記載例

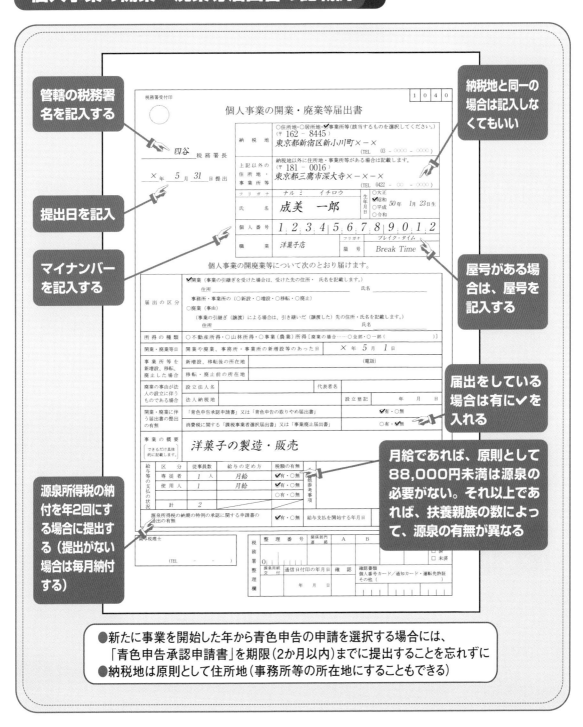

管轄の税務署名を記入する

提出日を記入

マイナンバーを記入する

源泉所得税の納付を年2回にする場合に提出する（提出がない場合は毎月納付する）

納税地と同一の場合は記入しなくてもいい

屋号がある場合は、屋号を記入する

届出をしている場合は有に✔を入れる

月給であれば、原則として88,000円未満は源泉の必要がない。それ以上であれば、扶養親族の数によって、源泉の有無が異なる

● 新たに事業を開始した年から青色申告の申請を選択する場合には、「青色申告承認申請書」を期限（2か月以内）までに提出することを忘れずに
● 納税地は原則として住所地（事務所等の所在地にすることもできる）

MEMO　源泉所得税は、事業者が従業員に支払う給与から天引きしておき、原則翌月10日までに税務署に納付します。専用の納付書が税務署に用意されています。

57

所得税の青色申告承認申請書の記載例

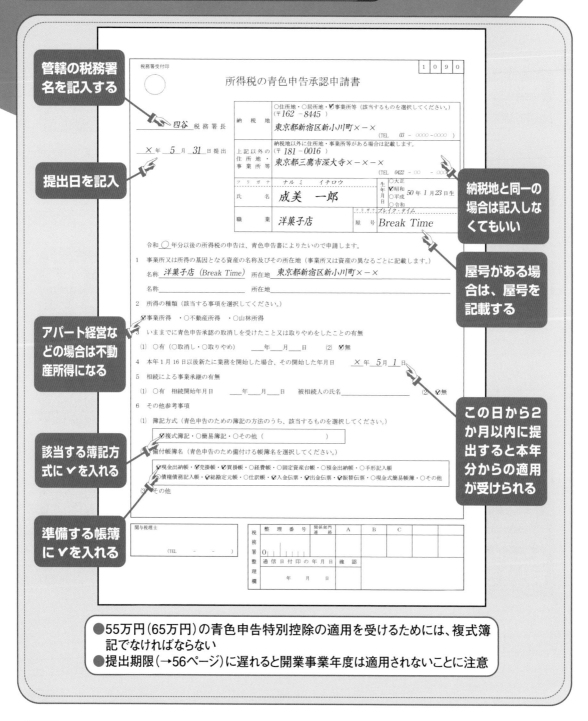

管轄の税務署名を記入する

提出日を記入

アパート経営などの場合は不動産所得になる

該当する簿記方式に✓を入れる

準備する帳簿に✓を入れる

納税地と同一の場合は記入しなくてもいい

屋号がある場合は、屋号を記載する

この日から2か月以内に提出すると本年分からの適用が受けられる

税務署受付印

所得税の青色申告承認申請書

1090

納税地 ○住所地・○居所地・✓事業所等（該当するものを選択してください。）
（〒162-8445）
東京都新宿区新小川町×-×
（TEL 03 - 0000 - 0000 ）

四谷 税務署長

×年 5月 31日提出

上記以外の住所地・事業所等 納税地以外に住所地・事業所等がある場合は記載します。
（〒181-0016 ）
東京都三鷹市深大寺×-×-×
（TEL 0422 - 00 - 0000 ）

フリガナ ナルミ イチロウ
氏 名 成美 一郎
生年月日 ○大正 ✓昭和 ○平成 ○令和 50年 1月 23日生

職 業 洋菓子店
フリガナ ブレイク タイム
屋 号 Break Time

令和 ○年分以後の所得税の申告は、青色申告書によりたいので申請します。

1 事業所又は所得の基因となる資産の名称及びその所在地（事業所又は資産の異なるごとに記載します。）
名称 洋菓子店（Break Time） 所在地 東京都新宿区新小川町×-×
名称＿＿＿＿＿＿＿＿＿ 所在地＿＿＿＿＿＿＿＿＿

2 所得の種類（該当する事項を選択してください。）
✓事業所得 ・○不動産所得 ・○山林所得

3 いままでに青色申告承認の取消しを受けたこと又は取りやめをしたことの有無
(1) ○有（○取消し・○取りやめ）＿＿年＿＿月＿＿日 (2) ✓無

4 本年1月16日以後新たに業務を開始した場合、その開始した年月日 ×年 5月 1日

5 相続による事業承継の有無
(1) ○有 相続開始年月日 ＿＿年＿＿月＿＿日 被相続人の氏名＿＿＿＿＿＿＿ (2) ✓無

6 その他参考事項
(1) 簿記方式（青色申告のための簿記の方法のうち、該当するものを選択してください。）
✓複式簿記・○簡易簿記・○その他（ ）

(2) 備付帳簿名（青色申告のため備付ける帳簿名を選択してください。）
✓現金出納帳・✓売掛帳・✓買掛帳・○経費帳・✓固定資産台帳・✓預金出納帳・○手形記入帳
○債権債務記入帳・✓総勘定元帳・✓仕訳帳・✓入金伝票・✓出金伝票・✓振替伝票・○現金式簡易帳簿・○その他

(3) その他

関与税理士
（TEL － － ）

税務署整理欄	整理番号		関係部門連絡	A	B	C
	0					
	通信日付印の年月日	確認				
	年 月 日					

● 55万円（65万円）の青色申告特別控除の適用を受けるためには、複式簿記でなければならない
● 提出期限（→56ページ）に遅れると開業事業年度は適用されないことに注意

MEMO 青色申告者には、青色申告特別控除55万円（65万円）などの特典があります。

青色事業専従者給与に関する届出書の記載例

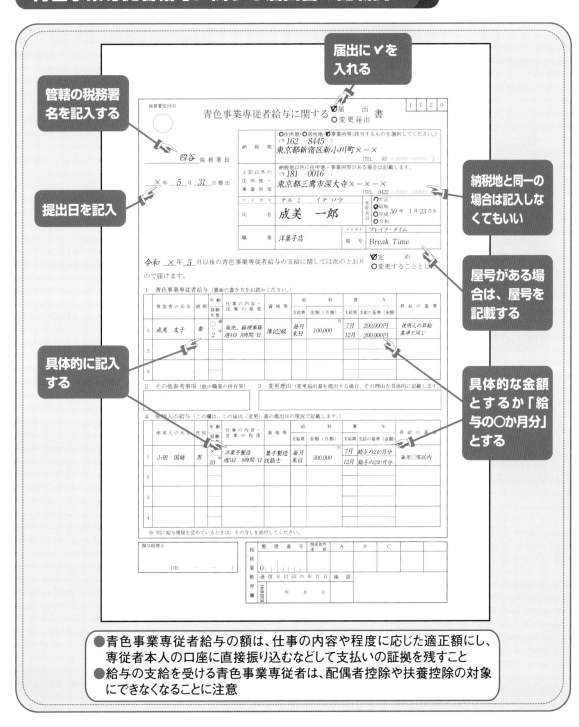

届出に✔を入れる

管轄の税務署名を記入する

提出日を記入

具体的に記入する

納税地と同一の場合は記入しなくてもいい

屋号がある場合は、屋号を記載する

具体的な金額とするか「給与の○か月分」とする

● 青色事業専従者給与の額は、仕事の内容や程度に応じた適正額にし、専従者本人の口座に直接振り込むなどして支払いの証拠を残すこと
● 給与の支給を受ける青色事業専従者は、配偶者控除や扶養控除の対象にできなくなることに注意

MEMO 青色事業専従者以外の同一生計家族に給与を支払っても経費になりません。

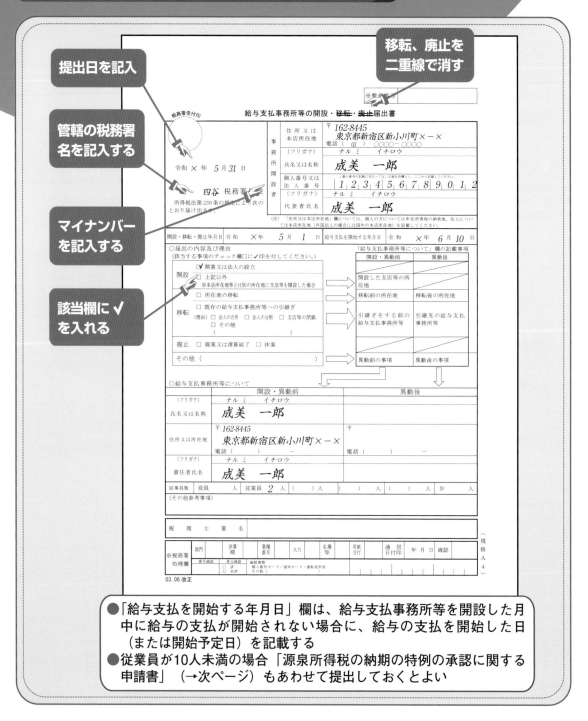

● 「給与支払を開始する年月日」欄は、給与支払事務所等を開設した月中に給与の支払が開始されない場合に、給与の支払を開始した日（または開始予定日）を記載する

● 従業員が10人未満の場合「源泉所得税の納期の特例の承認に関する申請書」（→次ページ）もあわせて提出しておくとよい

国税庁のホームページにある「源泉徴収税額表」で、税額の有無を確認しましょう。

届出は税務署からスタートする

源泉所得税の納期の特例の承認に関する申請書の記載例

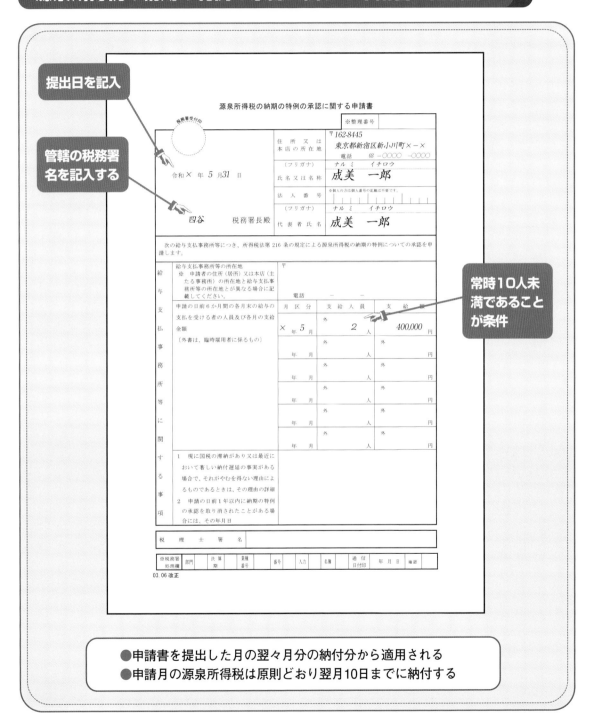

提出日を記入

管轄の税務署名を記入する

源泉所得税の納期の特例の承認に関する申請書

※整理番号

税務署受付印

令和 X 年 5 月 31 日

四谷 税務署長殿

住 所 又 は 本店の所在地 〒162-8445
東京都新宿区新小川町×-×
電話 03 -○○○○ -○○○○

（フリガナ） ナルミ イチロウ
氏 名 又 は 名称 成美 一郎

法 人 番 号 ※個人の方は個人番号の記載は不要です。

（フリガナ） ナルミ イチロウ
代 表 者 氏 名 成美 一郎

次の給与支払事務所等につき、所得税法第216条の規定による源泉所得税の納期の特例についての承認を申請します。

給与支払事務所等に関する事項	給与支払事務所等の所在地 ※ 申請者の住所（居所）又は本店（主たる事務所）の所在地と給与支払事務所等の所在地とが異なる場合に記載してください。	〒 電話 - -

常時10人未満であることが条件

申請の日前6か月間の各月末の給与の支払を受ける者の人員及び各月の支給金額〔外書は、臨時雇用者に係るもの〕	月 区 分	支 給 人 員	支 給 額
	X 年 5 月	外 2 人	外 400,000 円
	年 月	外 人	外 円
	年 月	外 人	外 円
	年 月	外 人	外 円
	年 月	外 人	外 円
	年 月	外 人	外 円

1 現に国税の滞納があり又は最近において著しい納付遅延の事実がある場合で、それがやむを得ない理由によるものであるときは、その理由の詳細
2 申請の日前1年以内に納期の特例の承認を取り消されたことがある場合には、その年月日

税 理 士 署 名	

※税務署処理欄	部門	決算期	業種番号	番号	入力	名簿	通信日付印	年 月 日	確認

03. 06 改正

- ●申請書を提出した月の翌々月分の納付分から適用される
- ●申請月の源泉所得税は原則どおり翌月10日までに納付する

MEMO 納期の特例の適用を受ける場合の納付書は、毎月納付の場合の納付書と様式が異なります。

所得税の減価償却資産の償却方法の届出書の記載例

該当する項目に✔を入れる

管轄の税務署名を記入する

提出日を記入

税務署受付印

｜1｜1｜6｜0｜

所得税の ○棚卸資産の評価方法
✔減価償却資産の償却方法 の届出書

＿＿四谷＿＿ 税務署長

×年 5月 31日 提出

納　税　地	○住所地・○居所地・✔事業所等(該当するものを選択してください。) (〒 162 － 8445) 東京都新宿区新小川町×－× 　　　　　　　　　　　　(TEL　03 － ○○○○ － ○○○○)
上記以外の 住　所　地・ 事　業　所　等	納税地以外に住所地・事業所等がある場合は記載します。 (〒 181 － 0016) 東京都三鷹市深大寺×－×－× 　　　　　　　　　　　　(TEL　0422－ ○○ － ○○○○)
フリガナ 氏　　　名	ナルミ　イチロウ **成美　一郎**	生年月日	○大正 ✔昭和 ○平成 50年 1月 23日生 ○令和
職　　　業	洋菓子店	フリガナ 屋　号	ブレイク・タイム *Break Time*

納税地と同一の場合は記入しなくてもいい

屋号がある場合は、屋号を記入する

○棚卸資産の評価方法
✔減価償却資産の償却方法 については、次によることとしたので届けます。

1　棚卸資産の評価方法

事　業　の　種　類	棚卸資産の区分	評　価　方　法

2　減価償却資産の償却方法

	減価償却資産の種類 設　備　の　種　類	構造又は用途、細目	償　却　方　法
(1) 平成19年3月31日 以前に取得した減価 償却資産			
(2) 平成19年4月1日 以後に取得した減価 償却資産	機械	菓子製造用機械	定率法

3　その他参考事項

(1) 上記2で「減価償却資産の種類・設備の種類」欄が「建物」の場合

建物の取得年月日　＿＿年＿＿月＿＿日

(2) その他

関与税理士 (TEL　－　－　)	税務署整理欄	整理番号	関係部門連絡	A	B	C
		0｜｜｜｜				
		通信日付印の年月日 　　年　月　日	確認			

●定率法を選択したい場合（個人事業者は原則定額法になる）に提出する。ただし、平成10年4月1日以降に取得した建物および、平成28年4月1日以降に取得した建物附属設備・構築物（鉱業用のこれらの資産を除く）は定額法しか認められない

 MEMO　減価償却資産の種類ごとに減価償却の方法を選択できます。

届出は税務署からスタートする

消費税課税事業者選択届出書の記載例

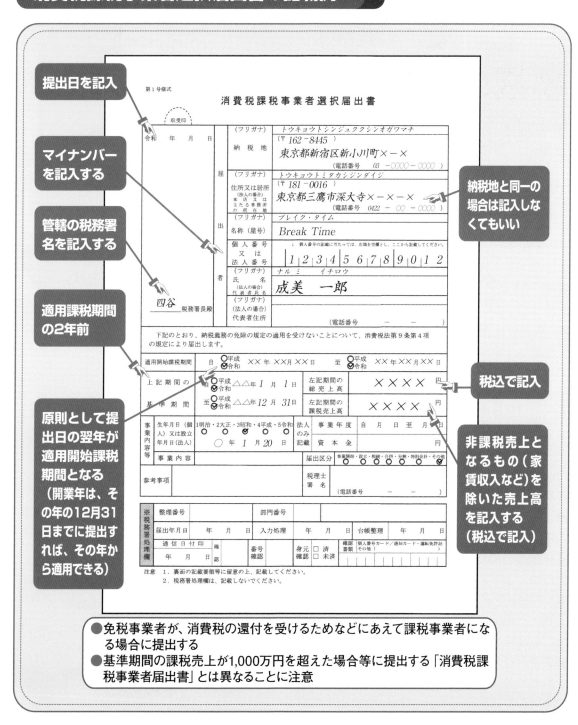

提出日を記入

マイナンバーを記入する

管轄の税務署名を記入する

適用課税期間の2年前

原則として提出日の翌年が適用開始課税期間となる（開業年は、その年の12月31日までに提出すれば、その年から適用できる）

納税地と同一の場合は記入しなくてもいい

税込で記入

非課税売上となるもの（家賃収入など）を除いた売上高を記入する（税込で記入）

- 免税事業者が、消費税の還付を受けるためなどにあえて課税事業者になる場合に提出する
- 基準期間の課税売上が1,000万円を超えた場合等に提出する「消費税課税事業者届出書」とは異なることに注意

WORD ひかぜいうりあげ **非課税売上** 居住用の家賃収入、土地の譲渡や貸付、保険料などのことです。ただし、砂利やアスファルトを敷いた土地を駐車場として賃貸する場合は、非課税売上にはなりません。

屋号で事業のイメージを伝える

屋号はなくてもかまいませんが、屋号をつけたほうが
事業内容をイメージしやすいというメリットがあります。

屋号はつけなくてもかまわない

屋号とは「お店や事業所の呼び名」「店名・事業所名」のことです。事業を開始する際に税務署へ提出する「個人事業の開業・廃業等届出書」などにも「屋号」を書く欄があります。

ただし、屋号は、必ずつけなければならないというものではありません。

事業のイメージを伝えやすくなる

一般には、**屋号をつけたほうがよいケースが多いようです**。理由は次の2つです。

■「個人」と「個人事業」を分ける

個人事業をはじめると「個人＝個人事業」になってしまう傾向があります。特に「個人のお金」と「個人事業のお金」がいっしょになりがちです。

個人と個人事業を意識し、明確に分けるためにも屋号を活用するとよいでしょう。

■事業内容をわかりやすく伝える

屋号は個人の事業内容を表す「通称・ニックネーム」です。

次ページの例を見てください。屋号をつけることによって、事業の内容をイメージすることができます。

屋号のつけ方、使い方は自由

どんな名前を屋号にしてもかまいません。事業内容がイメージできないニックネームでもかまいません。

屋号をつけたほうがよいのか、必要ないのか、そしてどんな名前をつけるとより事業がうまくいくか、親が子供の名前をつけるのと同じように考えてみましょう。

また、どのようなときに屋号を使うかもいっしょにイメージして決めていくといいでしょう。

check

✓ 屋号はいわば会社名のようなもの。

✓ 屋号はつけてもつけなくてもかまわない。また、どんな屋号でもかまわない。

✓ 屋号をつける場合は、事業内容がイメージできるものがよい。

MEMO 屋号がある場合、法人成りの際に屋号をそのまま会社名にすることも可能です。

屋号で事業のイメージを伝える

屋号のつけ方

■個人と事業がイメージできる例

屋号の例1：池田商店

- ●池田さんがお店をやっていることが伝わる。
- ●「商店」から、何か物を売るお店であることが伝わる。

屋号の例2：フラワーショップ　いけだ

- ●池田さんがやっているお花屋さんだと推測させることができる。
- ●「池田」ではなく、ひらがなで「いけだ」とすることによって、やさしい印象を与える。

■事業がイメージできる例

屋号の例3：ヒューマン・プライム労務管理事務所

- ●「ヒューマン」＝人、「プライム」＝価値から、人の価値を高めるための労務関係の仕事を推測させる。
- ●英語をカタカナで表記することで新しい時代の「人」に関する考えをもっている印象を与える。

屋号の例4：CURL CLUB

- ●「カール」から、髪の毛→美容院を連想させることができる。
- ●欧文の表記にすることで、おしゃれな印象を与える。

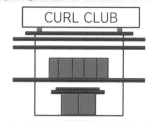

屋号を使うとき

看板、チラシ、名刺、事業案内、電話帳、ホームページ、銀行口座　など

 MEMO 法的にはどんな屋号もOKです。ただし、皆がよく知っているような名前をつけると誤解を招いたり、商標権侵害になる場合があるので、気をつけましょう。

[都道府県税事務所への届出]
個人事業税の対象になるか確認する

個人事業税の対象となる事業があります。これらの事業を行う場合、都道府県税事務所への届出が必要です。

都道府県税事務所への届出もある

個人事業税の対象になる事業を行う人は、原則として**都道府県税事務所にも届出書を提出**します。

個人事業税の対象となる事業は、下の表に示したとおりです。該当するかどうかを必ず確認してください。**該当しない場合、届出の必要はありません。**

また、該当する場合でも、所得金額が290万円以下であれば、個人事業税は課税されません。

個人事業税の法定業種と税率

第1種事業（37業種）……税率5%		第2種事業（3業種）……税率4%	第3種事業（30業種）	
物品販売業	周旋業	畜産業	●税率5%	
保険業	代理業	水産業	医業	設計監督者業
金銭貸付業	仲立業	薪炭製造業	歯科医業	不動産鑑定業
物品貸付業	問屋業		薬剤師業	デザイン業
不動産貸付業	両替業		獣医業	諸芸師匠業
製造業	公衆浴場業（むし風呂等）		弁護士業	理容業
電気供給業	演劇興行業		司法書士業	美容業
土石採取業	遊技場業		行政書士業	クリーニング業
電気通信事業	遊覧所業		公証人業	公衆浴場業（銭湯）
運送業	商品取引業		弁理士業	歯科衛生士業
運送取扱業	不動産売買業		税理士業	歯科技工士業
船舶定係場業	広告業		公認会計士業	測量士業
倉庫業	興信所業		計理士業	土地家屋調査士業
駐車場業	案内業		社会保険労務士業	海事代理士業
請負業	冠婚葬祭業		コンサルタント業	印刷製版業
印刷業				
出版業			●税率3%	
写真業			あん摩・マッサージまたは指圧・はり・きゅう・柔道整復・その他の医業に類する事業	
席貸業				
旅館業			装蹄師業	
料理店業				
飲食店業				

MEMO 個人事業税の所得金額は、所得税の青色申告特別控除を差し引く前の金額をいいます。

個人事業税の対象になるか確認する

事業開始等申告書の記載例

事業所の所在地、屋号、事業の種類を記入する

法人の場合に記入する

本人の住所、氏名を記入する

第32号様式（甲）（条例第26条関係）

事業開始等申告書（個人事業税）

		新（変更後）	旧（変更前）
事務所（事業所）	所在地	〒162-8445 東京都新宿区新小川町×－× 電話 03（○○○○）○○○○	電話 （ ）
	名称・屋号	Break Time	
	事業の種類	洋菓子の製造・販売	

事業主住所が事務所（事業所）所在地と同じ場合は、下欄に「同上」と記載する。
なお、異なる場合で、事務所（事業所）所在地を所得税の納税地とする旨の書類を税務署長に提出する場合は、事務所（事業所）所在地欄に○印を付する。

事業主	住所	〒181-0016 東京都三鷹市深大寺×－×－× 電話 0422（○○）○○○○	電話 （ ）
	フリガナ	ナルミ イチロウ	
	氏名	成美 一郎	

開始・廃止・変更等の年月日	×年 5月 1日	事由等	開始・廃止・※法人設立 その他（ ）
※法人設立 所在地		法人名称	
法人設立年月日	年 月 日（既設・予定）	電話番号	

東京都都税条例第26条の規定に基づき、上記のとおり申告します。

×年 6月 1日

氏名 成美 一郎

東京 都税事務所長 支庁長 殿

（日本産業規格A列4番）

備考 この様式は、個人の事業税の納税義務者が条例第26条に規定する申告をする場合に用いること。

都・個

上記例は都税事務所用

MEMO 自治体によって、申告書の様式が異なっている場合があります。

［労働基準監督署への届出］
労働基準監督署で労災保険の手続きをする

人を雇った場合、労働基準監督署で労災保険の
加入手続きをします。個人事業者は原則加入できません。

労災保険に加入しなければならない

仕事中に災害や事故にあってケガをすることを「業務災害」といいます。労災保険は、この業務災害を補償する制度です。

自分1人ではじめた事業も、仕事が軌道に乗ってくると人を雇う必要が出てきます。また、開業当初から人を雇用しなくてはならない事業もあります。

人を雇ったら、業務上の災害に備えるため、**労災保険に加入しなければなりません。加入手続きは労働基準監督署で行います。**

労災保険は、何人雇うかに関係なく、たとえ労働者（従業員）が1人であっても、加入が義務づけられています。

◆届出書類

届け出る書類は、以下の2点です。
①労働保険保険関係成立届
②労働保険概算・増加概算・確定保険料申告書

◆ほかに必要な書類

上記書類を届け出る際には、営業許可書や賃貸借契約書を添えて届出をします。

保険料は事業主が全額負担する

労災保険の保険料は、従業員へ支払う給与に対してかかってきます。業種により0.25%から8.8%の範囲で決められています（2024年5月現在）。

保険料は全額事業主が負担することになっています。

事業者は原則労災保険に加入できない

労災保険は、通常従業員のみを対象とする保険なので事業者は加入できません。ただし、業種により**特別加入制度を利用できます。**

check

- ☑ 人を雇ったら労災保険の加入が必要。
- ☑ 労災保険の保険料は事業主が負担する。
- ☑ 特別加入の制度を利用できるかどうかを検討する。

MEMO 全国の労働基準監督署の所在地は、ホームページで調べることができます。
https://www.mhlw.go.jp/stf/seisakunitsuite/bunya/koyou_roudou/roudoukijun/location.html

労働基準監督署で労災保険の手続きをする

特別加入制度

■労災保険は、原則、労働者向けの保険。
■個人事業者も加入できるのが特別加入の制度。
■特別加入の制度では、以下のように対象範囲が決められている（だれもが加入できるわけではない）。

業種	労働者数
金融、保険、不動産、小売	50人以下
卸売、サービス	100人以下
その他	300人以下

■上記以外にも、次の業種は特別加入により労災保険に加入できる。

● ITフリーランス
● 個人タクシー業
● 個人貨物運送業等
● 大工、左官、とび、石工等
● 漁船による水産動植物の採取
● 林業
● 医薬品の配置販売
● 廃品回収等　　等

特別加入についての窓口は、各地区の労働基準監督署。

MEMO　仕事中に従業員が大きなケガをした場合、会社の責任になります。労災保険はまさかのための補償です。忘れずに手続きをしてください。

労働保険保険関係成立届の記載例

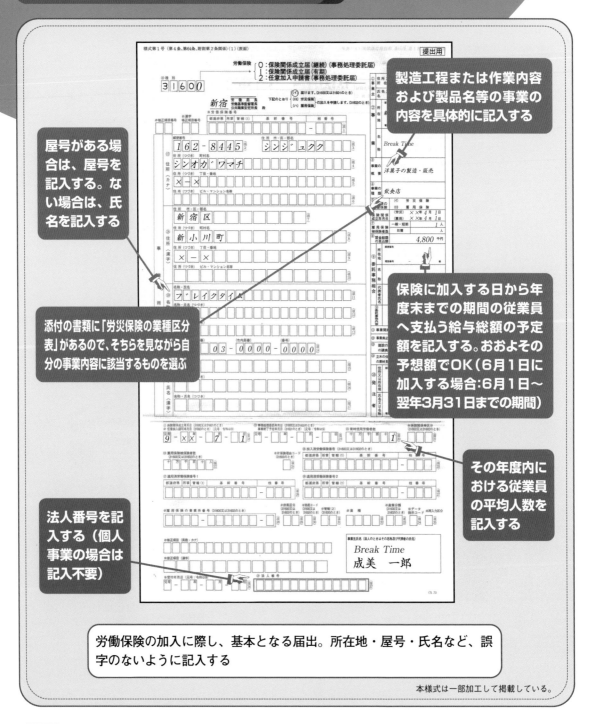

製造工程または作業内容および製品名等の事業の内容を具体的に記入する

屋号がある場合は、屋号を記入する。ない場合は、氏名を記入する

添付の書類に「労災保険の業種区分表」があるので、そちらを見ながら自分の事業内容に該当するものを選ぶ

保険に加入する日から年度末までの期間の従業員へ支払う給与総額の予定額を記入する。おおよその予想額でOK（6月1日に加入する場合：6月1日〜翌年3月31日までの期間）

その年度内における従業員の平均人数を記入する

法人番号を記入する（個人事業の場合は記入不要）

労働保険の加入に際し、基本となる届出。所在地・屋号・氏名など、誤字のないように記入する

本様式は一部加工して掲載している。

 労働保険保険関係成立届の記載は、OCRで直接読み取るので、必要以上に折り曲げたりせず、黒ボールペンで丁寧に記入しましょう。電子申請も可能です。

労働基準監督署で労災保険の手続きをする

労働保険概算・増加概算・確定保険料申告書の記載例

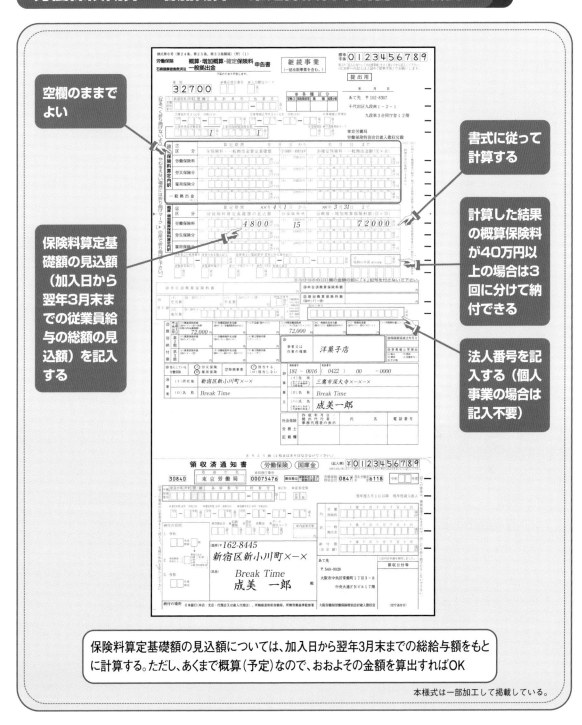

空欄のままでよい

保険料算定基礎額の見込額（加入日から翌年3月末までの従業員給与の総額の見込額）を記入する

書式に従って計算する

計算した結果の概算保険料が40万円以上の場合は3回に分けて納付できる

法人番号を記入する（個人事業の場合は記入不要）

保険料算定基礎額の見込額については、加入日から翌年3月末までの総給与額をもとに計算する。ただし、あくまで概算（予定）なので、おおよその金額を算出すればOK

本様式は一部加工して掲載している。

MEMO　労働保険概算・増加概算・確定保険料申告書の記入は、年度末までの全体の給与の見込み額さえ決まれば、あとは書式に従って計算するだけです。

[ハローワークへの届出]

雇用保険に加入しなければならない

人を雇った場合、ハローワークで雇用保険の加入手続きをします。個人事業者は雇用保険に加入できません。

人を雇ったらハローワークへも届け出る

労働基準監督署への届出が完了したら、次はハローワークへの届出です。ハローワークは雇用保険の取り扱い窓口です。

加入基準は正社員だけでなく、パート・アルバイトでも、勤務日数や勤務時間により雇用保険の加入の対象となります（→次ページ）。

雇用保険も主に労働者（従業員）の雇用の確保を目的とするものであるため、**事業主は加入できません。**

一般事業者の保険料率は従業員よりも多い

雇用保険の保険料も、従業員へ支払う給与に対してかかってきます。

保険料率は、一般事業の場合、1.55％（従業員0.60％、事業者0.95％）となっています（2024年5月現在）。

届出書一覧

届出書類
① 雇用保険適用事業所設置届
② 雇用保険被保険者資格取得届
③ 雇用保険被保険者証
（雇用前に他の会社等で雇用保険に加入していた場合）

必要書類
① 住民票
② 営業許可書、開業届
③ 事業開始等申告書、給与支払事務所等の開設届出書
④ 賃貸借契約書等
⑤ 労働保険保険関係成立届の事業主控
（労働基準監督署提出分）

確認書類
① 労働者名簿
② 出勤簿またはタイムカード
③ 賃金台帳
④ 雇用契約書

MEMO　都道府県別の最低賃金は毎年10月に改定されます。たとえ研修期間中であっても最低賃金は守らなければならないので、毎年必ずチェックするようにしましょう。

雇用保険に加入しなければならない

雇用保険の加入条件

●働く時間によって加入するかしないかが決まる

●法的には、正社員・パート・アルバイトという区分けはなく、
　すべて労働者という扱いになる

> 1週間の労働時間が20時間以上ある
> かつ
> 31日以上雇うことが決まっている

→ **雇用保険に加入する**

■労働時間の数え方

契約した勤務時間が1週間のうち、月曜日から金曜日の、

10：00から16：00までの勤務（うち休憩時間は1時間）の場合、

1日あたり5時間×5日＝25時間　→　**雇用保険の加入対象となる**

労働者名簿の例

ふりがな	おだ　くにお	*従事する業務の種類
氏　　名	小田　国雄	洋菓子の製造

生年月日	昭和・平成 63 年　4 月　1 日生	性別	男

住　　所	〒207-0015　東京都東大和市中央×－×－×

雇入年月日	平成××年　4 月　1 日

解雇・退職 または死亡		年　　　　月　　　　日　　　　解雇・退職・死亡
	事由	

履　　歴	平成○年3月　　　○○大学○○学部卒業 平成○年4月　　　○○○株式会社入社（製造部） 平成×年3月　　　○○○株式会社退職 平成×年4月　　　○○製菓学校（パティシエコース）入学 平成△年3月　　　○○製菓学校（パティシエコース）卒業 平成△年4月　　　ブレイク・タイム入社 令和元年7月　　　△△△店店長

MEMO　従業員を雇ったら、必ず雇用契約を結びましょう。基本的な労働条件については、書面で提示すること
が義務づけられています。厚生労働省のホームページからひな形をダウンロードすることができます。

雇用保険適用事業所設置届の記載例

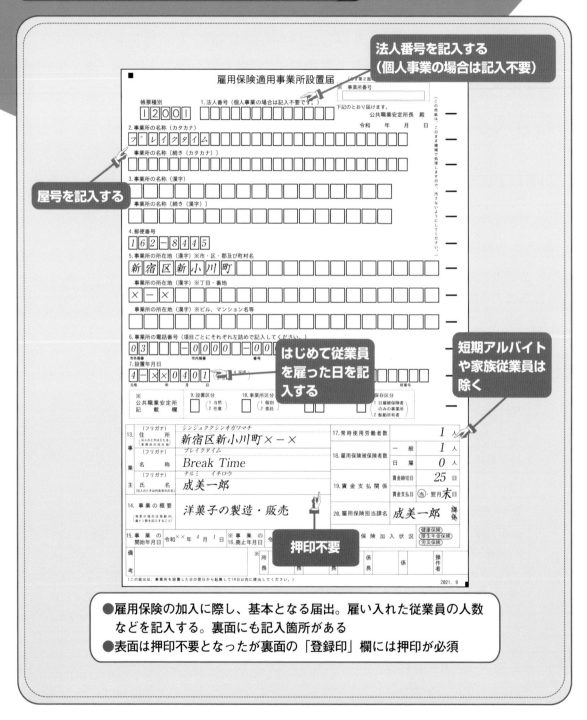

法人番号を記入する（個人事業の場合は記入不要）

屋号を記入する

はじめて従業員を雇った日を記入する

短期アルバイトや家族従業員は除く

押印不要

●雇用保険の加入に際し、基本となる届出。雇い入れた従業員の人数などを記入する。裏面にも記入箇所がある
●表面は押印不要となったが裏面の「登録印」欄には押印が必須

MEMO　雇用保険適用事業所設置届は個人事業者が雇用保険に加入するための基礎データになります。

雇用保険被保険者資格取得届の記載例

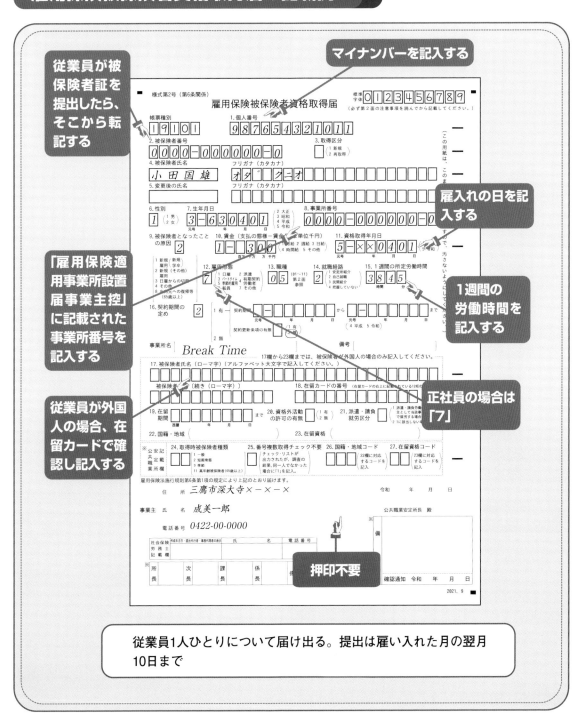

従業員が被保険者証を提出したら、そこから転記する

マイナンバーを記入する

「雇用保険適用事業所設置届事業主控」に記載された事業所番号を記入する

雇入れの日を記入する

1週間の労働時間を記入する

従業員が外国人の場合、在留カードで確認し記入する

正社員の場合は「7」

押印不要

従業員1人ひとりについて届け出る。提出は雇い入れた月の翌月10日まで

WORD **被保険者番号** （ひほけんしゃばんごう） 労働者1人ひとりにつけられる番号です。転職してもこの番号を引き続き使用します。

[日本年金機構への届出]
年金事務所へ
届け出る

個人事業の場合でも、基準を満たせば厚生年金、健康保険に
加入します。ただし、個人事業主が加入できるのは国民年金です。

個人事業者は加入できない

　ハローワークへの届出が終わったら、最後に年金事務所で社会保険の加入手続きをします。

　社会保険という場合、広義には、国民健康保険、国民年金、健康保険、厚生年金保険、労災保険、雇用保険など、すべての公的な保険制度をさします。その中でも狭義には従業員向けの「健康保険」と「厚生年金」を社会保険といいます。

　社会保険への加入は、すべての事業所が対象になるわけではなく、個人事業の場合、次のような事業を行い、かつ5人以上の従業員を

使用するときに加入対象となります。

> 製造業、土木建築業、鉱業、電気ガス事業、運送業、清掃業、物品販売業、金融保険業、保管賃貸業、集金案内広告業、教育研究調査業、医療保健業、通信報道業など

　社会保険に加入すると、従業員は「健康保険」と「厚生年金」の加入者となります。

　なお、従業員が5人未満の場合でも従業員の半数以上の同意があれば、申請して**「任意適用事業所」として加入**ができます。

　ただし、加入できるのは従業員のみで**個人事業者は加入対象になりません**。したがって、個人事業者は「国民健康保険」と「国民年金」に加入することになります。

届出書一覧

届出書類
①新規適用届
②被保険者資格取得届
③被扶養者（異動）届

必要書類
①事業主世帯全員の住民票
②賃貸借契約書
③保険料口座振替納付申出書

確認書類
①出勤簿またはタイムカード
②労働者名簿
③賃金台帳
④源泉所得税の領収証
⑤直近の決算書または確定申告書の控え

提出方法は窓口持参だけでなく郵送、電子申請も可能

MEMO　問い合わせ先：年金事務所は、ホームページで調べることができます。
https://www.nenkin.go.jp/section/soudan/index.html

年金事務所へ届け出る

新規適用届の記載例

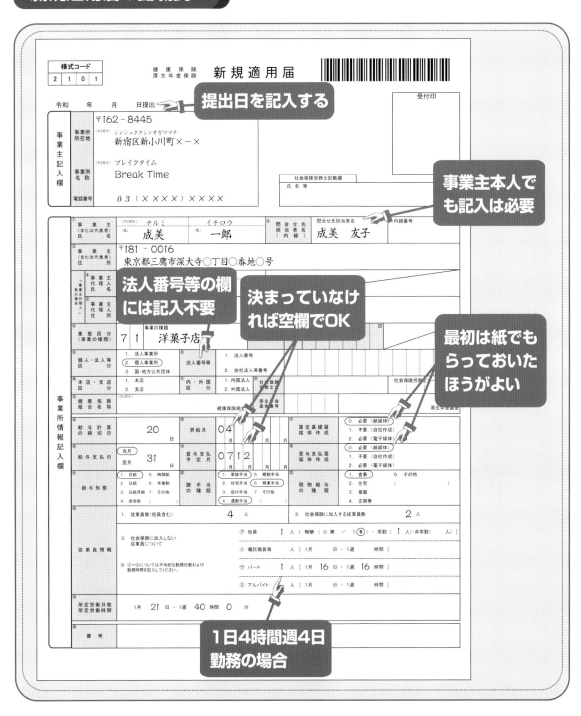

提出日を記入する

事業主本人でも記入は必要

法人番号等の欄には記入不要

決まっていなければ空欄でOK

最初は紙でもらっておいたほうがよい

1日4時間週4日勤務の場合

MEMO 2024年12月2日に健康保険証が廃止されます。マイナンバーカードを健康保険証として利用登録されていない方などについては「資格確認書」を用いて医療機関等を受診することが可能です。

新規の場合は未記入でOK

記入しなくてもよい

⑥で基礎年金番号を記入する場合は左詰めで10桁となる

⑥でマイナンバーを記入した場合は住所は記入不要

1か月分の交通費も含めた金額になる

住民票の住所を記入する

様式コード
2 2 0 0

健康保険
厚生年金保険

被保険者資格取得届
70歳以上被用者該当届

受付印

提出者記入欄

届書記入の個人番号に誤りがないことを確認しました。
〒 162-8445
事業所所在地　新宿区新小川町×－×
事業所名称　Break Time
事業主氏名　成美一郎
電話番号　03 ： 0000 ： 0000

社会保険労務士記載欄
氏名等

被保険者1

氏名　オダ　クニオ　小田　国雄
生年月日　630401
個人番号　0000000000000
報酬月額　300,000　0　300000
住所　〒 207-0015　トウキョウト ヒガシヤマトシ チュウオウ　東京都東大和市中央×－×－×

被保険者2

被保険者3

被保険者4

協会けんぽご加入の事業所様へ
※ 70歳以上被用者該当届のみ提出の場合は、「⑩備考」欄の「1.70歳以上被用者該当」
および「5.その他」に○をし、「5.その他」の（　）内に「該当届のみ」とご記入ください（この場合、
健康保険被保険者証の発行はありません）。

マイナンバーまたは基礎年金番号の記載は必須。マイナンバーを記載した場合は、住所の記載は不要

MEMO　届の記載は、本人・家族の名前や生年月日をまちがえないよう慎重に記入しましょう。

被扶養者（異動）届の記載例

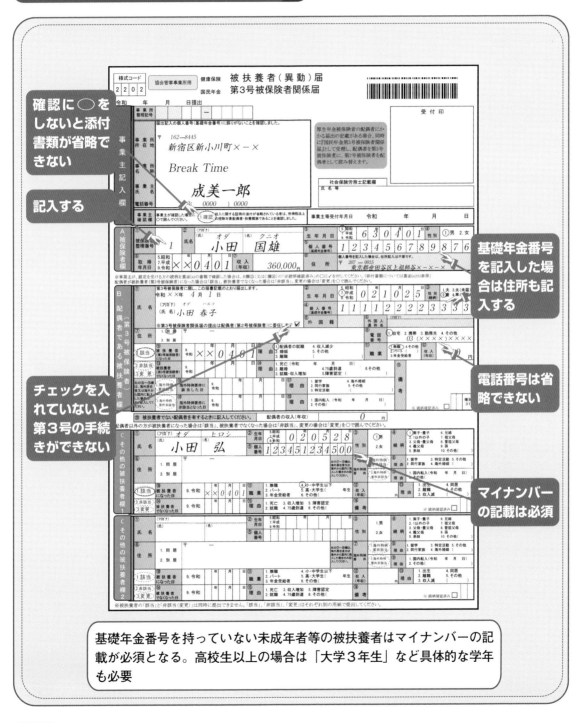

確認に ◯ を しないと添付 書類が省略で きない

記入する

チェックを入 れていないと 第3号の手続 きができない

基礎年金番号 を記入した場 合は住所も記 入する

電話番号は省 略できない

マイナンバー の記載は必須

基礎年金番号を持っていない未成年者等の被扶養者はマイナンバーの記載が必須となる。高校生以上の場合は「大学3年生」など具体的な学年も必要

MEMO

「被扶養者（第3号被保険者）になった日」から30日以上経過して届け出た場合、添付書類や遅延理由書の提出が必要となる場合があるので、速やかに提出しましょう。

［預金通帳の活用］
通帳を使えば手軽に
資金管理ができる

個人事業用の通帳は別につくりましょう。
通帳で収支を手軽に把握する方法があります。

必ず個人事業用の預金口座をつくる

個人事業をはじめるときに、お金の面で気をつけなくてはならないのが「個人のお金」と「個人事業のお金」の区分けです。

実際に個人事業をはじめた人を見ると、いくら儲かっているのかわからないという人が多くいます。理由はお金を色分けすることができないために「個人のお金」と「個人事業のお金」がいっしょになってしまうからです。

そんな問題を解決するために、個人事業をはじめたら**「個人事業用」の預金口座をつくり、個人事業に関するお金の出入りは「個人事業用」の口座で管理する**ようにしましょう。

口座名義を屋号にする

個人や法人などでなければ預金口座をつくることはできないことになっています。そのため、個人事業の場合は「個人」で口座をつくるしかありません。

ただ、ニックネームである屋号を個人の名前の前につけてもらうことができる場合もあ

ります。金融機関に確認をしてみましょう（その際、税務署への届出書のコピーなど、屋号が確認できるものを持参する）。

屋号での口座をつくってもらうと、自分だけでなくお客さんも「個人」ではなく**「個人事業」を意識しやすくなる**というメリットがあります。

通帳に入出金のメモを残す

事業の収支を手軽に把握する方法として、預金通帳の利用をおすすめします。

次ページのように、入出金を1つの個人事業用の口座にまとめ、必要に応じて通帳にメモを残すのです。通帳を見れば事業全体の**お金の動きが見えてきます**。

check

☑ 個人のお金と個人事業のお金は明確に分け、決していっしょにしないこと。

☑ 屋号を使って口座をつくれる場合もある。

☑ 通帳にメモをするだけで、収支が簡単に把握できるようになる。

 MEMO 通帳で資金管理をする場合には、通帳を拡大コピーして帳簿の資料として使用すると便利です。

通帳を使えば手軽に資金管理ができる

通帳の活用法

普通預金				
年月日	お取引内容	お支払い金額	お預り金額	差引残高
×.×.×	振込　Aショウテン		30,000	320,000
×.×.×	ATM　A株式会社（仕入）	25,000		295,000
×.×.×	振込　Bカブシキガイシャ		90,000	385,000
×.×.×	振込　Cソウゴウ		50,000	435,000
×.×.×	ATM　現金経費用	100,000		335,000
×.×.×	振込　Dケンキュウジョ	15,000		320,000
×.×.×	振込手数料 セミナー代	110		319,890
×.×.×	ATM　E株式会社（仕入）	40,000		279,890

※売上（収入）は、なるべく振り込んでもらう。集金した売上は、そのつど口座へ入金し、通帳にメモをする。
※支払い（費用）は、口座から振り込む。現金支払いは少しまとめて口座から引き出し、通帳に現金経費用とメモをする。

COLUMN

インターネットバンキングの活用

　仕入先や経費に関する振り込みにも、けっこう時間がかかるものです。特に月末は銀行も混雑し、かなりの時間待たされた経験がある方も多いのではないでしょうか。

　そこで、銀行へ行かなくても振り込みができ、振り込み手数料も割安となる可能性のあるインターネットバンキングの活用を考えてみましょう。インターネットバンキングには、金融機関による利用の条件や手数料などの差があるので、それぞれを理解した上で必要に応じて利用してみましょう。

　最近はインターネットだけではなく、モバイル（携帯）での取引ができる金融機関もあります。どちらもパスワードの取り扱いなどをはじめ、セキュリティ対策をしっかりし、サービスの内容を理解した上で自分にあうかどうかを確認して活用しましょう。

MEMO　通帳への書き込みは鉛筆を使用しましょう。ボールペンなどは訂正ができないので、避けたほうがよいでしょう。

将来の計画を立てる資料となる

はじめは小遣い帳の感覚で経理をスタートしても
かまいません。難しく考える必要はありません。

小遣い帳の感覚でスタートする

事業を継続していくためには、お金の出し入れを管理する経理処理をしていかなければなりません。

だからといって、「簿記の知識がないと無理」というわけではありません。簿記をマスターしてから事業をはじめようなどと考える必要はないのです。

子供の頃から慣れ親しんだ小遣い帳を思い出してみてください。

入金と出金を日付順に内容をメモしながら記録していく作業でした。それさえできれば、まずはスタートラインに立てたと思ってかまいません。

ただし、それもつかの間。**事業が順調に行けば行くほど、経理の重要性が増してきます。**

経理は事業の成績表

事業が順調だと経理が重要になる理由は、**経理の最終的な目的が事業の将来性を見る指標づくりにある**からです。

つまり、日々の経理を積み重ねてでき上がった1年分の集計表は、1年間の事業成績表そのものであるということです。それが、**来年の事業計画を立てる際の資料**となり、**将来性を計る指標**となるのです。

その上、精度の高い経理は、税金上も有利に取り扱われます。

それが青色申告者に認められている「55万円（65万円）の青色申告特別控除」という特典です（→次ページ）。

ですから、家計簿をつけるようにはじめた帳簿も、徐々に複式簿記にステップアップできるように努力していきましょう。

大丈夫。『習うより慣れよ』です。もし、それでも不安があれば、経理に詳しい人を雇うなり、税理士などの専門家に任せてしまうなりすればいいのです。

check

☑ 経理は小遣い帳の延長と気楽に考える。

☑ 青色申告者になって55万円（65万円）の青色申告特別控除を活用する。

☑ 不安な場合は、専門家に任せてしまってもいい。

WORD　**ふくしきぼき**　**複式簿記**　すべての取引について、勘定科目を用いて借方（左側）と貸方（右側）に同じ金額を記入する仕訳とよぶ手法によって記録する方法です。

青色申告特別控除

●**青色申告特別控除は、所得金額からさらに10万円または55万円（65万円）を差し引くことができる**という制度。

●**55万円（65万円）控除が認められる**ためには、以下の要件を満たすことが条件となっている。

青色申告者

┬ 現金主義※または簡易な簿記による記帳　　➡ **10万円控除**
├ 複式簿記による記帳　　　　　　　　　　➡ **55万円控除**
└ **複式簿記による記帳に加えて**　　　　　　➡ **65万円控除**
　下記のいずれかの要件を満たしているもの

①その年分の事業に係る仕訳帳および総勘定元帳について、電子計算機を使用して作成する国税関係帳簿書類の保存方法等の特例に関する法律に定めるところにより、電磁的記録の備え付けおよび保存を行っていること。

②その年分の所得税の確定申告書、貸借対照表および損益計算書の提出を、その提出期限までに電子情報処理組織（e-Tax）を使用して行うこと。

※前々年分の所得金額（青色事業専従者給与の額を必要経費に算入しないで計算した金額）の合計額が300万円以下である事業者で、あらかじめ税務署に届出をした者に限る。

■**青色申告者でない者（白色申告者）は控除はないので、税金を多く払うことになる**

COLUMN

家事費との区分

　自宅で開業する場合、注意しなければならないのは、事業用経費と家事費との区分です。水道光熱費、通信費、地代家賃、租税公課などは、合理的な基準（床面積や使用時間など）で科目ごとに事業用と家事用に按分（一定の割合で比例配分すること）しなければなりません。

　たとえば、実際に使用している割合を考え、水道光熱費のうち「30％は事業用の経費とする」というように、合理的な基準にそったルールを決めておくことをおすすめします。

 青色申告者には、ほかにも特典がたくさんあります。損失が出た場合に、その損失額を3年間にわたって繰越控除できるのもその1つです。

会計ソフト
の利用がおすすめ

会計ソフトを使えば、簡単に経理ができてしまいます。
会計ソフトの利用を検討しましょう。

経理方法は2つある

　青色申告者が55万円（65万円）の特別控除を受けようとする場合に必須となる複式簿記による経理方法は、大きく2つあります。

　1つは**会計ソフトを利用して一気に処理をする**方法です。簿記の理解が完璧（かんぺき）といえない場合でも、入力の仕方を工夫した会計ソフトも販売されているので、できれば会計ソフトを使うことをおすすめします。

入力ミスに注意する

　会計ソフトを使ってでき上がった帳簿は見栄え（みばえ）がよいため、正確さも伴うような錯覚を覚えがちです。しかし、いくら優秀なソフトであっても、入力にまちがいがあっては、なんの意味もありません。仕訳の貸借のまちがいや、金額などの入力ミスは致命的です。

　二重三重のチェックをして、ミスのない帳簿の作成を心がけてください。

記入もれに注意する

　もう1つは、**手書きで伝票を起こし総勘定元帳などに転記する**オーソドックスな方法です。パソコンやソフトの購入費用、メンテナンス費用が不要という利点はありますが、記載に時間がかかり、転記もれのおそれがあるという点で前者に劣っています。

　ただし、いずれの方法も、簿記の知識がある程度はあることが前提になります。

主な会計ソフト

メーカー	製品名	標準価格（税込み）
弥生	やよいの青色申告オンライン	15,180円
弥生	弥生会計24スタンダード＋クラウド	55,000円
ソリマチ	みんなの青色申告	10,780円
ソリマチ	会計王	44,000円
エプソン	Weplat財務応援R4Lite	55,000円

※お試し版があれば、使い勝手をチェックしてから選ぶ。

 MEMO　最近は無料の会計ソフトも多く、クラウド会計ソフトのfreeeなども人気です。

手書き経理処理に必要な帳簿

《準備する伝票・帳簿》

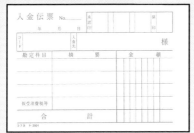

入金伝票（現金の入金があるとき）

出金伝票（現金の出金があるとき）

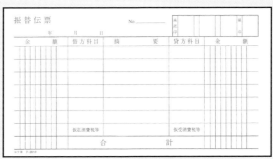

振替伝票（現金の入出金を伴わないとき）

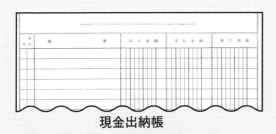

現金出納帳

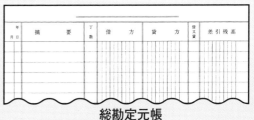

総勘定元帳

《必要に応じて準備する帳簿》

預金出納帳	預金の入出金と預金残高の動きを記載する
売掛帳	掛売上の相手先ごとに発生と回収を管理するために記載する
買掛帳	掛仕入の相手先ごとに発生と支払いを管理するために記載する
受取手形記入帳	受取手形の相手方、入金期日などを記載する
支払手形記入帳	支払手形の相手方、支払期日などを記載する
経費帳	経費の管理のために記載する
固定資産台帳	固定資産を管理するために記載する

※現金出納帳は帳簿の中では補助簿としての位置づけになるが、とても重要な帳簿なので必ずつける。場合によっては、入出金伝票を使わずに現金出納帳だけでもかまわない。

WORD

貸借のまちがい
たいしゃく

仕訳には貸方と借方があります。たとえば、掛売上があった場合、借方（売掛金）×××円　貸方（売上）×××円と仕訳をします。これを逆に仕訳してしまうと売上がマイナスに計上されてしまいます。

手書き経理処理の具体的な書き方

CASE 【取引1】 8月1日 小麦粉50キロを18,000円 で○○商店より現金購入した。
　　　 【取引2】 8月1日 30,000円の売上（現金）があった。
　　　 【取引3】 8月2日 調理器具80,000円を掛け（後払い）で購入した。

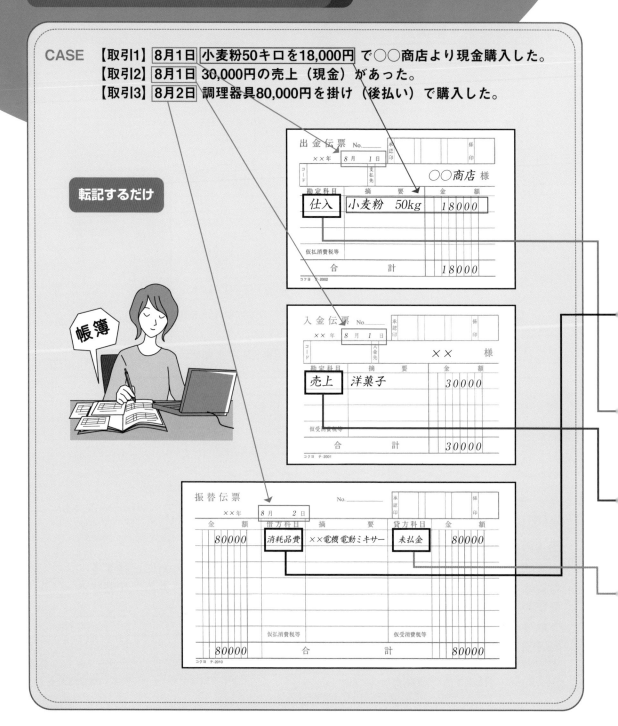

転記するだけ

帳簿

出金伝票 No.＿＿＿＿
××年 8月 1日
○○商店 様

勘定科目	摘　　要	金　　額
仕入	小麦粉　50kg	18000
	仮払消費税等	
	合　　計	18000

入金伝票 No.＿＿＿＿
××年 8月 1日
×× 様

勘定科目	摘　　要	金　　額
売上	洋菓子	30000
	仮受消費税等	
	合　　計	30000

振替伝票 No.＿＿＿＿
××年 8月 2日

金　額	借方科目	摘　　要	貸方科目	金　額
80000	消耗品費	××電機 電動ミキサー	未払金	80000
	仮払消費税等		仮受消費税等	
80000		合　計		80000

 それぞれの伝票は、日付ごとに分けて記入します。

86

会計ソフトの利用がおすすめ

《現金出納帳》

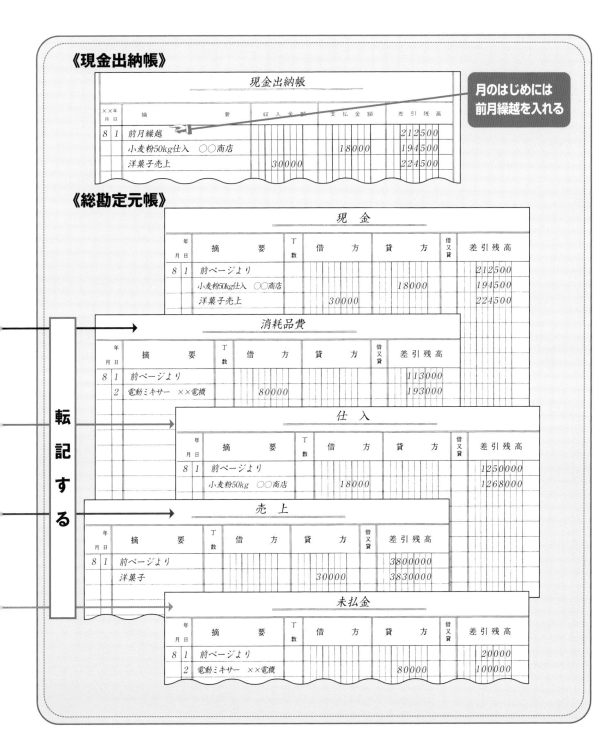

現金出納帳

××年 月 日	摘　　　　要	収入金額	支払金額	差引残高
8　1	前月繰越			212500
	小麦粉50kg仕入　○○商店		18000	194500
	洋菓子売上	30000		224500

> 月のはじめには
> 前月繰越を入れる

《総勘定元帳》

現　金

年 月 日	摘　　　要	丁数	借　　方	貸　　方	借又貸	差引残高
8　1	前ページより					212500
	小麦粉50kg仕入　○○商店			18000		194500
	洋菓子売上		30000			224500

消耗品費

年 月 日	摘　　　要	丁数	借　　方	貸　　方	借又貸	差引残高
8　1	前ページより					113000
	2	電動ミキサー　××電機		80000			193000

仕　入

年 月 日	摘　　　要	丁数	借　　方	貸　　方	借又貸	差引残高
8　1	前ページより					1250000
	小麦粉50kg　○○商店		18000			1268000

売　上

年 月 日	摘　　要	丁数	借　　方	貸　　方	借又貸	差引残高
8　1	前ページより					3800000
	洋菓子			30000		3830000

未払金

年 月 日	摘　　要	丁数	借　　方	貸　　方	借又貸	差引残高
8　1	前ページより					20000
	2	電動ミキサー　××電機			80000		100000

転記する

MEMO　記帳はボールペンなどを使い、記入ミスをした場合は二重線で消して正しい数字をその上に書きます。修正液は使いません。

87

記帳から確定申告までの流れをつかむ

個人事業者にとって、年末は事業の締め日です。
3月の確定申告に向けて準備をはじめましょう。

1年間のサイクル

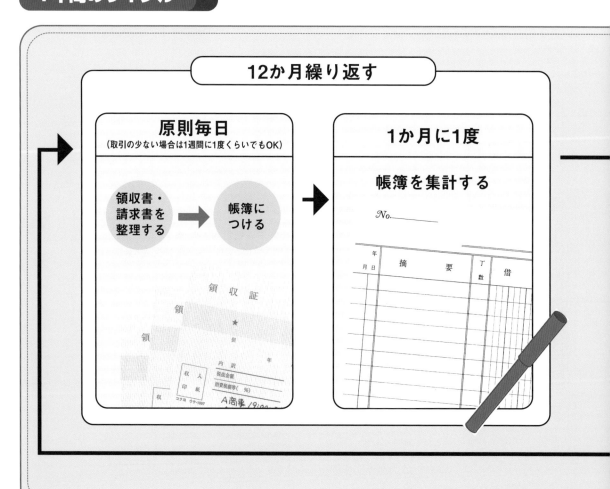

12か月繰り返す

原則毎日
（取引の少ない場合は1週間に1度くらいでもOK）

領収書・請求書を整理する → 帳簿につける

1か月に1度

帳簿を集計する

No._____

年 月 日	摘　　要	丁 数	借

領　収　証

MEMO 個人事業者も税務調査の対象になります。いつ問い合わせがあってもあわてないように、日ごろからきちんと記帳しましょう。

記帳から確定申告までの流れをつかむ

確定申告に向けて準備をする

個人事業者にとっての年末には、たいせつな意味があります。

個人事業者は1月1日（事業開始が年の途中であればその開始の日）から12月31日まで帳簿を締め、翌年3月15日までの**確定申告に向けて準備**をしなければならないからです。

用紙は税務署から送られてくる

開業届出書を提出していれば、翌年1月末頃までに**確定申告の用紙が税務署から送られてきます**。

青色申告の届出をした人には、申告用紙と青色申告決算書が、そうでない人には収支内訳書が申告用紙と一緒に送られてきます。

※電子申告の場合は送られてこない。

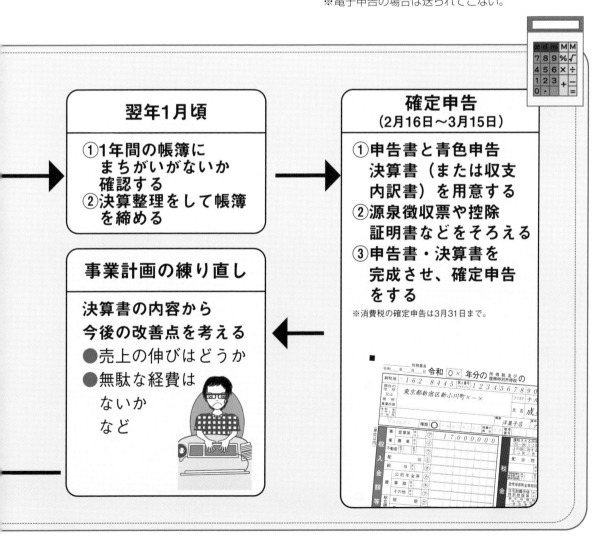

翌年1月頃

① 1年間の帳簿にまちがいがないか確認する
② 決算整理をして帳簿を締める

事業計画の練り直し

決算書の内容から今後の改善点を考える
● 売上の伸びはどうか
● 無駄な経費はないかなど

確定申告（2月16日〜3月15日）

① 申告書と青色申告決算書（または収支内訳書）を用意する
② 源泉徴収票や控除証明書などをそろえる
③ 申告書・決算書を完成させ、確定申告をする

※消費税の確定申告は3月31日まで。

MEMO　納税も原則として確定申告の期限までです。振替納税の手続きをとると約1か月後に自分の口座から引き落とされます。

確定申告
の準備をする

各種帳簿を締め、もれや誤りがないかをチェックします。

決算整理をする

日々の取引を記載してきた各種帳簿類を締める作業の第一段階は**決算整理**です。記帳に誤りがないかを確認することからはじめます。

帳簿を締める

決算整理が終わったら、次ページのように帳簿を締めます。

このうち大事なのは、売上金額、仕入金額にもれがないか確認することと、商品の棚卸です。仕入れた商品のうち、売れた商品に対応するものだけが当期の経費となるため、商品の棚卸が必要になるのです。

また、自宅のスペースを事務所にしている場合などは、事業の必要経費となる割合以外を費用から除くことを忘れないでください。

なお、減価償却とは、10万円以上の資産（機械、備品、車など）を購入したときに、その購入した年に全額経費にするのではなく、耐用年数（種類ごとに決められている）にわたって、年々経費にしていくことをいいます。

主な決算整理

確定申告の準備として次のことをする

- 年末までの売上・仕入にもれはないか確認する。締め日以後の売上に注意
- 年末に残った在庫を確認する。期首の在庫を当期の仕入に振り替え、期末の在庫を当期の仕入から除く
- 費用のうち、事業とは無関係の部分について除く処理をする（事業主／費用）

この3つは特に大事

- 年末までに支払うことが確定している費用に関して未払計上をする（費用／未払金）
- 機械備品などの固定資産について減価償却費を計上する（減価償却費／固定資産）

WORD たなおろし **棚卸** 年末に売れ残った在庫商品の数量を確認することをいいます。

帳簿の締め方

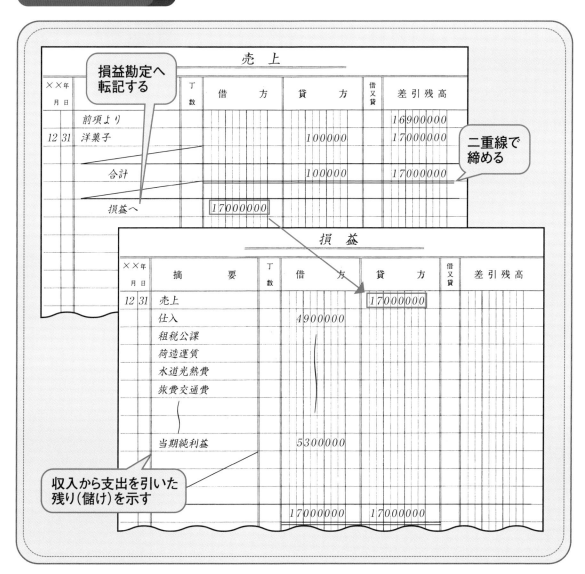

損益勘定へ転記する

売 上

××年 月日		丁数	借 方	貸 方	借又貸	差 引 残 高
	前項より					16900000
12 31	洋菓子			100000		17000000
	合計			100000		17000000
	損益へ			17000000		

二重線で締める

損 益

××年 月日	摘 要	丁数	借 方	貸 方	借又貸	差 引 残 高
12 31	売上			17000000		
	仕入		4900000			
	租税公課					
	荷造運賃					
	水道光熱費					
	旅費交通費					
	当期純利益		5300000			
			17000000	17000000		

収入から支出を引いた残り（儲け）を示す

COLUMN

会計ソフトなら簡単

　本テーマで紹介した内容を手書きしていく作業は、ややめんどうに感じるかもしれません。

　会計ソフトを利用すれば、日々の取引と決算整理仕訳を入力するだけで自動的に帳簿の締めから損益計算書や貸借対照表まで作成することができます。

 会計ソフトも税制の改正に伴って、毎年のようにバージョン・アップされます。費用はかかりますが、メンテナンスは必要です。

損益計算書で事業成績を算定する

売上、仕入、経費の合計から、利益を算定しましょう。

損益計算書の記載例

Ⓐ 決算書2枚目の「月別売上（収入）金額及び仕入金額」の合計額から転記する。

Ⓑ 前期の決算書の「期末商品（製品）棚卸高」から転記する（初年度はゼロ）。

Ⓒ 期末の在庫の合計額を記入する。

Ⓓ 決算書3枚目の「減価償却費の計算」から転記する。

Ⓔ 決算書2枚目の「給料賃金の内訳」から転記する。

Ⓕ 決算書3枚目の「地代家賃の内訳」から転記する。

Ⓖ 決算書2枚目の「専従者給与の内訳」から転記する。

Ⓗ 総勘定元帳の損益勘定で計算した利益金額を転記する。

Ⓘ 決算書2枚目の「青色申告特別控除額の計算」を転記する。

損益計算書で1年間の事業成績がわかる

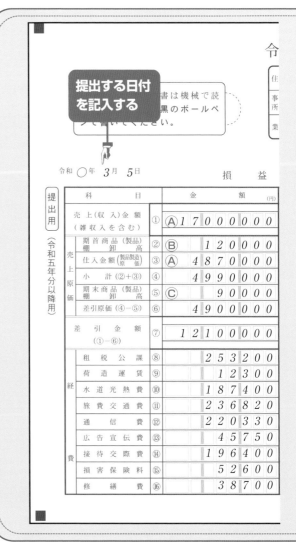

提出する日付を記入する

令和 ○ 年 3 月 5 日　損益

	科　目		金　額　(円)
	売 上（収 入）金 額 （雑 収 入 を 含 む）	①	Ⓐ 1 7 0 0 0 0 0 0
売上原価	期首商品（製品） 棚　卸　高	②	Ⓑ 1 2 0 0 0 0
	仕入金額（製品製造） 　　　　（原 価）	③	Ⓐ 4 8 7 0 0 0 0
	小　計（②＋③）	④	4 9 9 0 0 0 0
	期末商品（製品） 棚　卸　高	⑤	Ⓒ 9 0 0 0 0
	差引原価（④−⑤）	⑥	4 9 0 0 0 0 0
	差 引 金 額 （①−⑥）	⑦	1 2 1 0 0 0 0 0
経費	租 税 公 課	⑧	2 5 3 2 0 0
	荷 造 運 賃	⑨	1 2 3 0 0
	水 道 光 熱 費	⑩	1 8 7 4 0 0
	旅 費 交 通 費	⑪	2 3 6 8 2 0
	通 信 費	⑫	2 2 0 3 3 0
	広 告 宣 伝 費	⑬	4 5 7 5 0
	接 待 交 際 費	⑭	1 9 6 4 0 0
	損 害 保 険 料	⑮	5 2 6 0 0
	修 繕 費	⑯	3 8 7 0 0

（左側）提出用　（令和五年分以降用）

MEMO　勘定科目が足りない場合は、㉕以下に付け足して記入すればOKです。

損益計算書の書き方の留意点

損益計算書は1年間の事業成績、簡単にいえば、**どれだけ儲かったかを表す**ものです。

まず、総勘定元帳の「損益勘定」を転記します。「損益勘定」で計算された利益金額が、青色申告決算書の㊸番（青色申告特別控除前の所得金額）となります。

ここから青色申告者の特典である青色申告特別控除額（簡易簿記は10万円、複式簿記の帳簿を備え付けている場合には55万円（65万円））を差し引いたものが、所得金額です。

所得控除等を差し引いて税額計算をするのは、確定申告書上での作業になります。

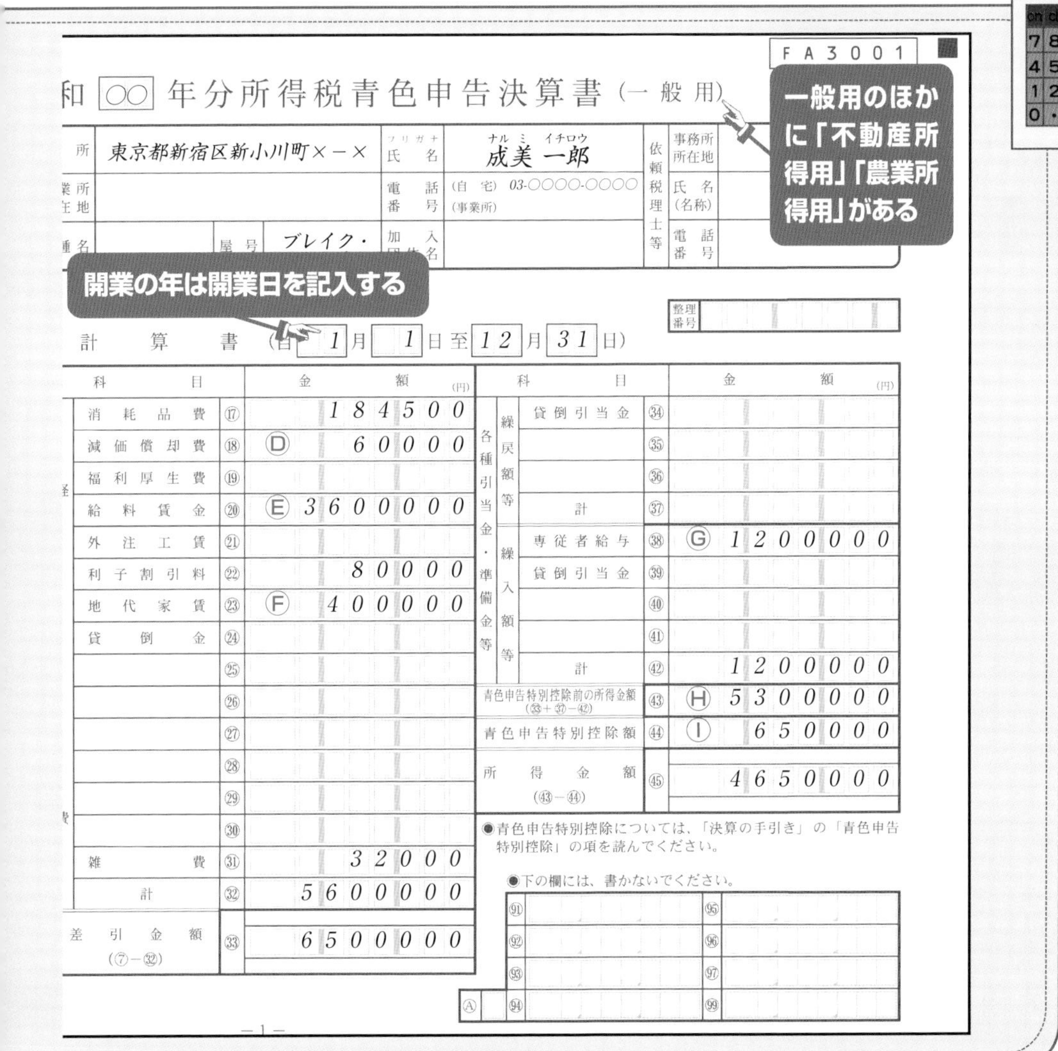
一般用のほかに「不動産所得用」「農業所得用」がある
開業の年は開業日を記入する

FA3001

和 〇〇 年分所得税青色申告決算書（一般用）

所 東京都新宿区新小川町×－×
フリガナ ナルミ イチロウ
氏名 成美 一郎
電話番号 （自宅）03-〇〇〇〇-〇〇〇〇 （事業所）
屋号 ブレイク・
依頼税理士等 事務所所在地 氏名（名称） 電話番号

計算書（自 1月 1日至 12月 31日）

科目		金額（円）	科目		金額（円）
消耗品費	⑰	184500	各種引当金・準備金等 繰戻額等 貸倒引当金	㉞	
減価償却費	⑱	Ⓓ 60000		㉟	
福利厚生費	⑲			㊱	
給料賃金	⑳	Ⓔ 3600000	計	㊲	
外注工賃	㉑		繰入額等 専従者給与	㊳	Ⓖ 1200000
利子割引料	㉒	80000	貸倒引当金	㊴	
地代家賃	㉓	Ⓕ 400000		㊵	
貸倒金	㉔			㊶	
	㉕		計	㊷	1200000
	㉖		青色申告特別控除前の所得金額（㉝+㊲−㊷）	㊸	Ⓗ 5300000
	㉗		青色申告特別控除額	㊹	Ⓘ 650000
	㉘		所得金額（㊸−㊹）	㊺	4650000
	㉙				
	㉚				
雑費	㉛	32000			
計	㉜	5600000			
差引金額（⑦−㉜）	㉝	6500000			

●青色申告特別控除については、「決算の手引き」の「青色申告特別控除」の項を読んでください。

●下の欄には、書かないでください。

(91)		(95)	
(92)		(96)	
(93)		(97)	
Ⓐ (94)		(99)	

－1－

MEMO ㊸の所得金額が㊹の青色申告特別控除額（10万円、55万円、65万円）より少ない場合は㊹の金額は㊸の金額が限度となります。

貸借対照表で財政状態がわかる

年末時点の資産と負債の状況を算出しましょう。

貸借対照表の記載例

Ⓐ 現金預金残高の期首（通常は1月1日）と期末（12月31日）の金額を記入する。

Ⓑ 家事用として使った金額を記入する。

Ⓒ 家事用資金から事業用に使った金額を記入する。

Ⓓ 期首と期末の欄に同じ金額を記入する。

Ⓔ 損益計算書の「青色申告特別控除前の所得金額」㊸を転記する。

申告

貸借対照表で年末時点の資産（財産）と負債（借金）の額がわかる

貸借対

（令和五年分以降用）

❶ 65万円又は55万円の青色申告特別控除を受ける人は必ず記入してください。それ以外の人……記入してください。

資 産 の 部		
科　　目	1月1日（期首）	
現　　　金	Ⓐ 105,300 円	
当 座 預 金		
定 期 預 金		
その他の預金	Ⓐ 8,200,000	
受 取 手 形		
売 掛 金		
有 価 証 券		
棚 卸 資 産	120,000	
前 払 金		
貸 付 金		
建　　　物		
建物附属設備		
機 械 装 置		
車 両 運 搬 具		
工具器具備品	480,000	
土　　　地		
事 業 主 貸		
合　　　計	8,905,300	

損益計算書の②期首商品（製品）棚卸高

決算書3枚目の「減価償却費の計算」の未償却残高が期末に一致する

一致

（注）「元入金」は、「期首の資産の総額」から……

MEMO　勘定科目を追加してもOK。

貸借対照表の書き方の留意点

まず、総勘定元帳の資産・負債項目の期首（1月1日、年の途中で開業した場合にはその日）と期末の残高を転記します。「元入金」には、期首の資産の部の合計から負債・資本の部の合計を差し引いた金額を期首と期末の両方に記入します。さらに青色申告特別控除前の所得金額を記入すれば、**貸借がぴったり一致するはず**です。違っていれば転記ミスや、そもそもの帳簿の記載にまちがいがあるためかもしれません。見直しが必要です。

損益計算書と貸借対照表の2つができれば、確定申告書の完成まであと一歩です。

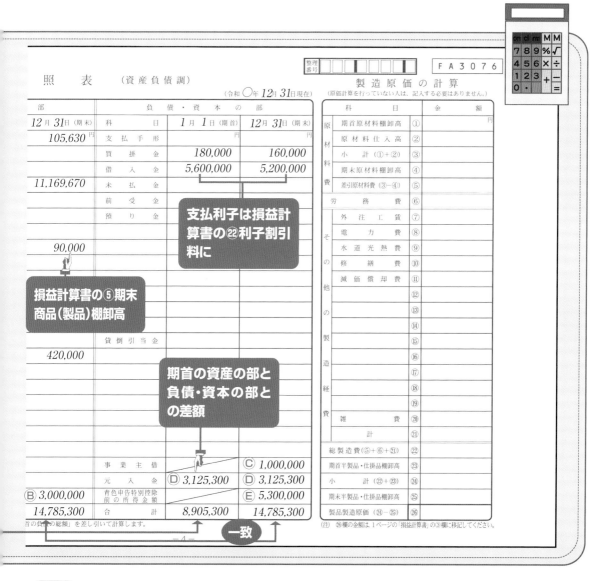

支払利子は損益計算書の㉒利子割引料に

損益計算書の⑤期末商品（製品）棚卸高

期首の資産の部と負債・資本の部との差額

照　表　（資産負債調）			
（令和○年12月31日現在）			

負債・資本の部

部 12月31日（期末）	科　目	1月1日（期首）	12月31日（期末）
105,630 円	支払手形	円	円
	買掛金	180,000	160,000
	借入金	5,600,000	5,200,000
11,169,670	未払金		
	前受金		
	預り金		
90,000			
420,000	貸倒引当金		
	事業主借		Ⓒ 1,000,000
	元入金	Ⓓ 3,125,300	Ⓓ 3,125,300
Ⓑ 3,000,000	青色申告特別控除前の所得金額		Ⓔ 5,300,000
14,785,300	合計	8,905,300	14,785,300

首の（ ）の総額」を差し引いて計算します。

一致

製造原価の計算

（原価計算を行っていない人は、記入する必要はありません。）

	科　目		金　額
原材料費	期首原材料棚卸高	①	円
	原材料仕入高	②	
	小　計（①＋②）	③	
	期末原材料棚卸高	④	
	差引原材料費（③－④）	⑤	
労務費	労　務　費	⑥	
その他の製造経費	外　注　工　賃	⑦	
	電　力　費	⑧	
	水　道　光　熱　費	⑨	
	修　繕　費	⑩	
	減　価　償　却　費	⑪	
		⑫	
		⑬	
		⑭	
		⑮	
		⑯	
		⑰	
		⑱	
		⑲	
	雑　費	⑳	
	計	㉑	
	総製造費（⑤＋⑥＋㉑）	㉒	
	期首半製品・仕掛品棚卸高	㉓	
	小　計（㉒＋㉓）	㉔	
	期末半製品・仕掛品棚卸高	㉕	
	製品製造原価（㉔－㉕）	㉖	

整理番号　FA3076

（注）㉖欄の金額は、1ページの「損益計算書」の③欄に移記してください。

－4－

WORD **元入金（もといれきん）** 会社でいう資本金のことで、事業主からの出資金をいいます。

損益計算書の金額の内訳を表す

売上、仕入や給料、減価償却の内訳を作成しましょう。

はじめに内訳表を完成させる

損益計算書を作成するもととなるのが決算書2枚目、3枚目の内訳表です。2枚目の内訳表では、毎月の売上や仕入を集計し記入します。このほか、**給料は従業員と家族に分けて記入**します。

また、3枚目の内訳表では減価償却費の計算をします。

◆給料賃金

従業員に対して支払う給与、賃金などをいいます。生計を一にする親族に給与を支払っても「青色事業専従者給与に関する届出書」を提出しているケース以外は、必要経費にはなりません。

◆青色事業専従者給与

事業所得のほか、不動産所得（不動産賃貸業）や山林所得のある青色申告者が、59ページの「青色事業専従者給与に関する届出書」に青色事業専従者となる者の氏名と支払う給与の額を記載して税務署に提出している場合には、その支払った給与の額が適正である限り経費とすることができます。

青色事業専従者は、次の要件を満たす人に限ります。

● 青色申告者本人と生計を一にする配偶者やその他の親族であること

● 年末時点で満15歳以上であること

● 年途中の開業や結婚等、特別な事情がある場合を除き、6か月を超える期間その事業に従事していること

支払った給与の額が適正か否かは、労務時間、労務の性質などから見て判断します。従業員の給与水準から見てかけ離れていると、税務上否認されることになります。

また、白色事業者（青色申告承認申請書の届出をしていない人）も、一定額までは、事業専従者について事業専従者控除として経費にすることができます。

check

☑ 損益計算書を作成する前に内訳表を作成する。

☑ 給与は一般従業員と家族（専従者）では、扱いが異なることに注意する。

☑ 専従者給与の額が適正でない場合、税務上否認される。

MEMO ほかに主な職業のある人は青色事業専従者にはなれません。

損益計算書の金額の内訳を表す

内訳表の記載例（2枚目）

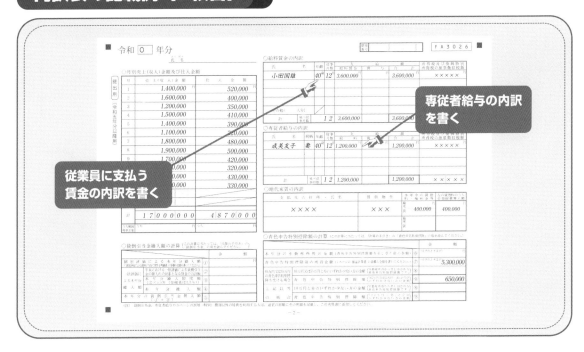

従業員に支払う賃金の内訳を書く

専従者給与の内訳を書く

内訳表の記載例（3枚目）

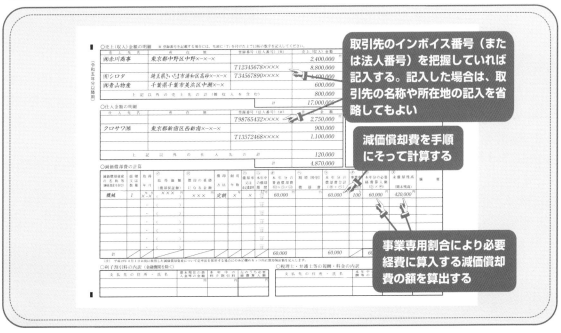

取引先のインボイス番号（または法人番号）を把握していれば記入する。記入した場合は、取引先の名称や所在地の記入を省略してもよい

減価償却費を手順にそって計算する

事業専用割合により必要経費に算入する減価償却費の額を算出する

MEMO　商品を家事消費した場合も収入に計上します。

[確定申告書の書き方]

確定申告書を作成して税額を計算する

確定申告書の提出期間は2月16日から3月15日です。
遅れないように提出しましょう。

書き方がわからないときには相談する

　申告書には、損益計算書の収入金額と所得金額を事業所得の欄の㋐と①に記入します。あとは各種所得控除を差し引き、**税額の計算をしていく**だけです。

　申告書の基本的な書き方は、申告書の用紙に同封されている「確定申告の手引き」に載っています。書き方でわからないことがあれば、税務署の窓口や税理士などに相談すればすぐ解決することができるはずです。

提出期限は必ず守る

　所得税の確定申告書の**提出期間は、2月16日から3月15日**（この日が土日にあたる場合は次の月曜日）までとなります。これを過ぎると無申告加算税や延滞税がかかります。また、複式簿記による帳簿を作成している場合であっても青色申告特別控除額の55万円（65万円）を受けることができなくなります。

　期限には、絶対に遅れないよう注意してください。

プロへの依頼を検討する

　経理処理から決算作業、そして**申告そのものを税理士に一括して依頼する**という方法が実は一番簡単で効果的です。

　税制は毎年のように改正されます。事業者として改正点をおさえておくのは必要なことですが、最も大事なことは、事業本来の目的に邁進（まいしん）することです。

　税制の上手な使い道をだれより心得ている税理士に、気楽に相談してみてはいかがでしょうか。

　身近に知り合いの税理士がいないときは、税理士会に問い合わせる、インターネットで検索するなどして探してみるとよいでしょう。

check

☑　納めるべき（または還付される）税額は、確定申告書を作成すればわかる。

☑　申告期限には遅れないように注意する。

☑　税理士への依頼も考える。

MEMO　ひと口に税理士といっても提供できるサービスや、報酬もさまざまですので、最初に確認することがたいせつです。

確定申告書（第一表）の記載例

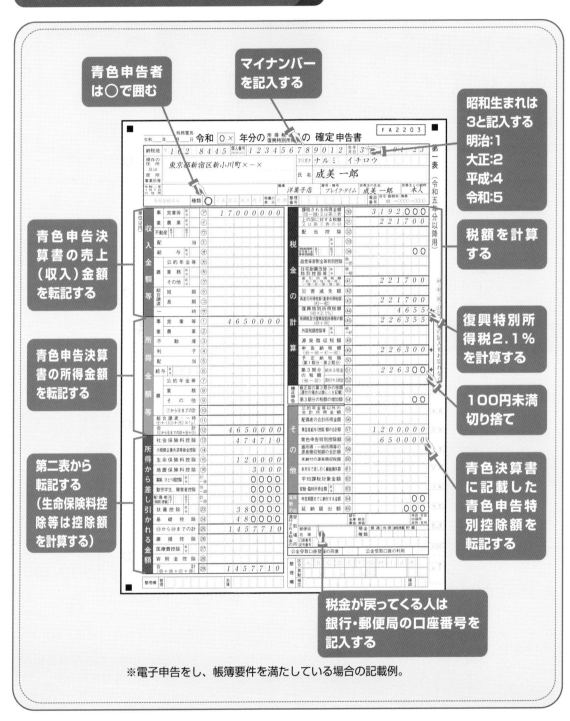

青色申告者
は〇で囲む

マイナンバー
を記入する

昭和生まれは
3と記入する
明治:1
大正:2
平成:4
令和:5

青色申告決
算書の売上
（収入）金額
を転記する

青色申告決算
書の所得金額
を転記する

第二表から
転記する
（生命保険料控
除等は控除額
を計算する）

税額を計算
する

復興特別所
得税2.1％
を計算する

100円未満
切り捨て

青色決算書
に記載した
青色申告特
別控除額を
転記する

税金が戻ってくる人は
銀行・郵便局の口座番号を
記入する

※電子申告をし、帳簿要件を満たしている場合の記載例。

MEMO 青色申告で損失が出た場合、第四表を使い損失の繰越をします。

所得の内訳や所得控除を記載する

所得控除は人的事情などを考慮した制度です。
所得から一定額を差し引くことができます。

所得控除が15種類ある

確定申告書の第一表の「所得から差し引かれる金額に関する事項」は、所得控除の内訳を記載するところです。

所得控除とは、青色申告決算書で計算した所得金額から、人的な事情などを考慮して、さらに一定額を差し引ける制度です。医療費控除のように領収書が必要なものや、生命保険料控除のように**証明書が必要なものがあります**。確定申告までたいせつにとっておきましょう。

主な所得控除

医療費控除	●自分と家族の医療費が年間で10万円を超えた場合に受けられる所得控除（自分の所得が200万円未満の場合には、所得の金額の5％を超えた医療費の支出があれば控除が受けられる。200万円が限度）
社会保険料控除	●途中退職した会社の源泉徴収票に記載されている社会保険料の金額と国民健康保険や国民年金、国民年金基金等の保険料等の額が所得控除の対象になる ●家族の分も自分で支払っていれば対象になる
小規模企業共済等掛金控除	●小規模企業共済に加入している場合、その掛金が所得控除の対象になる
配偶者控除	●納税者本人の所得が1,000万円以下で、所得の金額が48万円以下の配偶者を有する方が受けられる所得控除 ●納税者本人の所得により、控除額38万円、26万円、13万円（配偶者の年齢が70歳以上の場合は48万円、32万円、16万円）のいずれかが適用となる
配偶者特別控除	●納税者本人の所得が1,000万円以下で、所得の金額が48万円超133万円以下の配偶者を有する方が受けられる所得控除 ●配偶者および納税者本人の所得により、控除額38万円〜1万円が適用となる
扶養控除	●所得が48万円以下の家族（配偶者以外）を有する方が受けられる所得控除 ●年齢によって控除額が異なる（年齢が16歳未満の人に対する扶養控除廃止）
基礎控除	●だれもが受けられる所得控除（48万円）。ただし、合計所得金額が2,400万円を超える方は、その合計所得金額に応じて32万円、16万円と逓減し、合計所得金額が2,500万円を超える方は基礎控除がなくなる

MEMO　医療費控除を受けるために「医療費控除の明細書」の記載が必要となりました。健康保険組合等が発行する「医療費のお知らせ」を添付する場合、詳細の記載を一部省略することも可能です。ただし、領収証は5年間自宅で保管しなければならないので注意が必要です。

所得の内訳や所得控除を記載する

確定申告書（第二表）の記載例

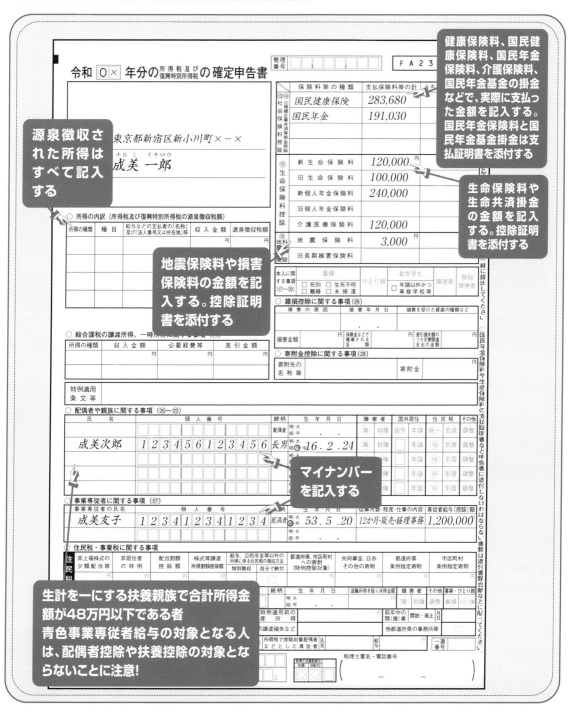

源泉徴収された所得はすべて記入する

健康保険料、国民健康保険料、国民年金保険料、介護保険料、国民年金基金の掛金などで、実際に支払った金額を記入する。国民年金保険料と国民年金基金掛金は支払証明書を添付する

生命保険料や生命共済掛金の金額を記入する。控除証明書を添付する

地震保険料や損害保険料の金額を記入する。控除証明書を添付する

マイナンバーを記入する

生計を一にする扶養親族で合計所得金額が48万円以下である者
青色事業専従者給与の対象となる人は、配偶者控除や扶養控除の対象とならないことに注意！

主な記載内容（画像内）

令和 ○× 年分の所得税及び復興特別所得税の確定申告書

FA23

東京都新宿区新小川町×－×
ナルミ イチロウ
成美 一郎

保険等の種類	支払保険料等の計
国民健康保険	283,680
国民年金	191,030
新生命保険料	120,000
旧生命保険料	100,000
新個人年金保険料	240,000
旧個人年金保険料	
介護医療保険料	120,000
地震保険料	3,000
旧長期損害保険料	

配偶者・親族：成美次郎　123456123456　長男　令16.2.24

事業専従者：成美友子　123412341234　配偶者　53.5.20　12か月・販売・経理事務　1,200,000

MEMO インフルエンザの予防接種費用や、自己の判断で受けたPCR検査の費用、予防のためのマスク購入費などは医療費控除の対象となりません。人間ドック費用も原則として対象外です。

［課税事業者と免税事業者］

事業を開始して2年間は
免税事業者になる

事業を開始したばかりの個人事業者は、最初の年は
免税事業者になります。

※適格請求書発行事業者として登録した場合を除く

消費税は事業者が預かり納税する

商品を購入したりサービスの提供を受けたりする消費者に対して課税される税金が消費税です。ただし、消費税は、所得税などと異なり、消費者が直接税務署に行って納めるわけではありません。

消費者は購入した商品や提供を受けたサービスに一定の率（10%または8%）を掛けた金額を、その商品やサービスに上乗せされる形で消費税を負担することになります。

消費者が負担した消費税は、**事業者が預かり、一定期間の分をまとめて税務署に納税する**というしくみになっています。

収入が少ない事業者は消費税を納めなくてもよい

一定金額以下の収入しかない事業者については、消費税の納税義務が免除されます。

免税事業者となるのは、原則として前々年（基準期間）の課税対象となる収入（課税売上高）が1,000万円以下の事業者ですが、**「前年の1月1日から6月30日（特定期間）の課税売**上高または給与総額が1,000万円以下であること」という要件も満たす必要があります。

なお、令和5年10月1日以降、インボイス（適格請求書）発行事業者の登録をした事業者は、基準期間等の課税売上高にかかわらず、消費税の申告と納税の義務があります。

新規に個人事業を始めた場合

2024年中に個人事業を開始した場合、2022年（前々年）の課税売上高は当然ゼロなので、2024年は免税事業者となります。

翌年の2025年については、2023年（前々年）の課税売上高はありませんが、2024年（前年）の1月1日から6月30日における**課税売上高と同期間中の給与総額のいずれもが1,000万円を超えていれば、課税事業者となり消費税の納税義務が生じます。**

check

✓ **消費税は事業者が預かり、納税する。**

✓ **課税売上高が1,000万円以下の事業者は原則として免税事業者となる。**

✓ **前々年の課税売上高が基準となることに注意する。**

MEMO　消費税の税率は10%（食料品等の軽減税率が適用されるものは8%）です。厳密には、このうち7.8%（6.24%）部分が消費税（国税）で残り2.2%（1.76%）が地方消費税となります。

消費税のしくみ

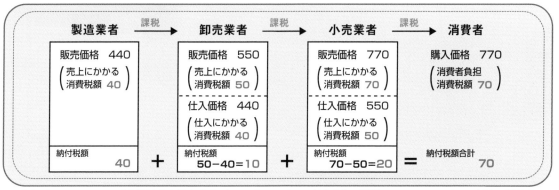

※令和5年10月1日より「適格請求書保存方式（以下「インボイス制度」）」が開始された。インボイス制度の導入後は、仕入にかかる消費税額を控除する要件として「適格請求書発行事業者が発行する適格請求書を保存すること」が必要となる。なお、適格請求書以外の請求書でも当初6年間は仕入税額控除が一部認められる経過措置が設けられている。
https://www.nta.go.jp/taxes/tetsuzuki/shinsei/annai/shohi/annai/pdf/0022003-083.pdf

納税義務の判定

CASE1

2023年 (基準期間)	2024年		2025年
	1月1日～6月30日 (特定期間)	7月1日～12月31日	
課税売上高 600万円	課税売上高 1,500万円 給与総額 1,200万円	課税売上高 700万円	課税売上高 800万円

特定期間の課税売上高、給与総額のいずれもが1,000万円超 → **2025年の納税義務あり**

CASE2

2023年 (基準期間)	2024年		2025年
	1月1日～6月30日 (特定期間)	7月1日～12月31日	
課税売上高 600万円	課税売上高 1,500万円 給与総額 900万円	課税売上高 700万円	課税売上高 800万円

特定期間の課税売上高は1,000万円超だが、特定期間の給与総額が1,000万円以下 → **2025年の納税義務なし**

COLUMN

還付を受ける!?

　免税事業者は、消費税の納税義務がないかわりに、設備投資（建物や大型機械の購入など）などで支払った消費税が多額であっても、その還付を受けることはできません。そのような場合には、「消費税課税事業者選択届出書」を所轄の税務署に提出して、あえて課税事業者になることにより、消費税の還付を受ける方法があります。

　ただし、還付を受けられるような大きな設備投資や資産（高額特定資産）などを取得すると、その年を含めて以後3年間は免税事業者に戻ることはできなくなるなど、一定の規制が入ります。

WORD

かぜいうりあげだか
課税売上高

消費税が課税される資産の譲渡、貸付け、役務の提供の対価の額をいいます。したがって、勘定科目上の売上以外にも、たとえば固定資産の売却収入なども課税売上高に含まれます。

[原則課税と簡易課税]

簡易課税なら消費税の計算が簡単

消費税の計算方法は原則課税と簡易課税の2つがあります。
どちらを選択するかは慎重にしましょう。

消費税の計算は2つの方法から選択する

消費税の計算方法には、原則課税と簡易課税の2つがあります。

◆原則課税のしくみ

1年間に預かった消費税（課税売上に係る消費税額）から1年間に負担した消費税（課税仕入に係る消費税額）を差し引いた差額を税務署に納税する方法です。

◆簡易課税のしくみ

簡易課税は、仕入には関係なく、売上と一定の率（みなし仕入率）だけを使って簡単に納税額を計算するというしくみです。

みなし仕入率は、業種によって異なります（→次ページ）。

選択は慎重に

簡易課税制度は、基準期間（2年前）の課税売上が5,000万円以下の事業者のみに適用される制度です。

簡易課税を選択するには、前年末（開業年は12月31日）までに「消費税簡易課税制度選択届出書」を税務署に提出する必要があります。

ただし、**簡易課税制度を選択すると2年間は原則課税の方法に戻ることができない**ことに注意しなければなりません。

大規模な設備投資の計画があるような場合、本来ならば、消費税の還付が可能なケースであっても、**簡易課税制度を選択すると還付を受けることができません。**

免税事業者が還付を受けようと考えて、あえて課税事業者を選択する場合は、絶対に簡易課税を選択してはいけません。還付を受けられなくなり、損をします。

簡易課税の選択は慎重に行う必要があります（→次ページ）。

check

- ☑ **消費税の計算方法は、原則課税と簡易課税の2つ。**
- ☑ **簡易課税なら、売上とみなし仕入率だけで計算できる。**
- ☑ **原則課税と簡易課税のどちらを選ぶかは慎重に検討する。**

MEMO　簡易課税の届出をしない限り、原則課税が適用されることになります。

簡易課税なら消費税の計算が簡単

原則課税と簡易課税の比較

CASE1 簡易課税が有利なケース（小売業）

売上:33,000,000円（消費税3,000,000円）
仕入:22,000,000円（消費税2,000,000円）

| 原則課税 | 3,000,000円－2,000,000円＝1,000,000円 |
| 簡易課税 | 3,000,000円－（3,000,000円×80%）＝600,000円 |

→ 簡易課税のほうが **40万円** トク

CASE2 簡易課税が不利なケース（小売業）

売上:33,000,000円（消費税3,000,000円）
仕入:28,600,000円（消費税2,600,000円）

| 原則課税 | 3,000,000円－2,600,000円＝400,000円 |
| 簡易課税 | 3,000,000円－（3,000,000円×80%）＝600,000円 |

→ 簡易課税のほうが **20万円** ソン

みなし仕入率

区　　分		みなし仕入率
第1種事業	卸売業	90%
第2種事業	小売業	80%
第3種事業	農林漁業、建設業、製造業等	70%
第4種事業	その他の事業	60%
第5種事業	金融保険業、運輸通信業、サービス業（飲食店業除く）	50%
第6種事業	不動産業	40%

※2つ以上の事業区分に当てはまるような事業の場合、それぞれの課税売上ごとに加重平均したみなし仕入率を適用するのが原則。
　ただし、事業区分ごとに計算していれば全体の75%以上を占める事業のみなし仕入率を適用することができます。

MEMO 製造も小売販売も行うケースでは、2つの事業区分（第2種事業、第3種事業）に該当することになります。

簡易課税か原則課税か

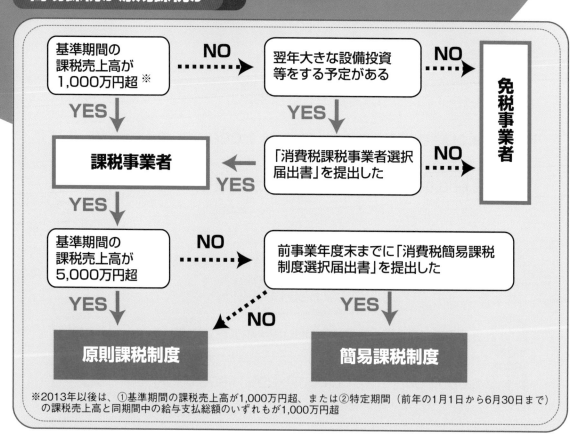

※2013年以後は、①基準期間の課税売上高が1,000万円超、または②特定期間（前年の1月1日から6月30日まで）の課税売上高と同期間中の給与支払総額のいずれもが1,000万円超

COLUMN

一般には簡易課税が有利

　上記フローチャートのとおり、基準期間の課税売上高が5,000万円以下であることが簡易課税制度選択の条件になります。

　個人事業の場合、課税売上高が5,000万円を超えるということは考えにくい（そこまで売上があれば、法人化も検討しましょう！）ので、簡易課税を選択するほうがよい場合が多いといえます。

　ただし、簡易課税で計算する場合、たとえ、大きな仕入（設備投資など）があっても還付を受けることができない点に注意しましょう。また、簡易課税は一度選択をすると2年間は原則課税に戻ることができません。設備投資などのプランがある場合には特に慎重に検討する必要があります（→103ページCOLUMN）。

基準期間が免税事業者であった場合、課税売上高は、消費税込みの売上高で1,000万円を超えるかどうかで判断します。

簡易課税なら消費税の計算が簡単

消費税簡易課税制度選択届出書の記載例

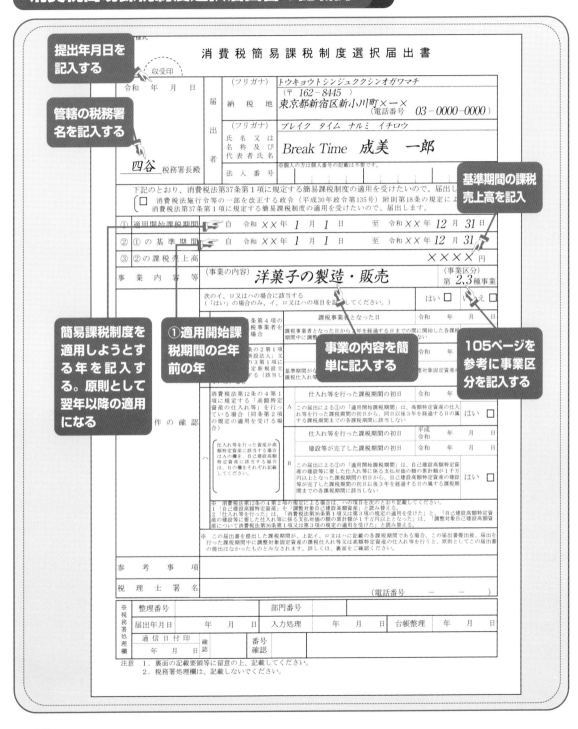

提出年月日を記入する

管轄の税務署名を記入する

簡易課税制度を適用しようとする年を記入する。原則として翌年以降の適用になる

①適用開始課税期間の2年前の年

事業の内容を簡単に記入する

基準期間の課税売上高を記入

105ページを参考に事業区分を記入する

消費税簡易課税制度選択届出書

収受印

令和　年　月　日

四谷 税務署長殿

届出者

（フリガナ）トウキョウトシンジュククシオガワマチ

納税地　（〒162−8445）
東京都新宿区新小川町×−×
（電話番号 03−0000−0000）

（フリガナ）ブレイク タイム ナルミ イチロウ

氏名又は名称及び代表者氏名　Break Time　成美　一郎
※個人の方は個人番号の記載は不要です。

法人番号

下記のとおり、消費税法第37条第1項に規定する簡易課税制度の適用を受けたいので、届出し
□ 消費税法施行令等の一部を改正する政令（平成30年政令第135号）附則第18条の規定により
消費税法第37条第1項に規定する簡易課税制度の適用を受けたいので、届出します。

① 適用開始課税期間	自 令和XX年 1 月 1 日 至 令和XX年 12 月 31 日
② ①の基準期間	自 令和XX年 1 月 1 日 至 令和XX年 12 月 31
③ ②の課税売上高	××××円

事業内容等　（事業の内容）洋菓子の製造・販売　（事業区分）第 2,3 種事業

次のイ、ロ又はハの場合に該当する
（「はい」の場合のみ、イ、ロ又はハの項目を記載してください。）　はい □　いいえ □

※ 消費税法第12条の4第2項の規定による場合は、ハの項目を次のとおり記載してください。
1「自己建設高額特定資産」を「調整対象自己建設高額資産」と読み替える。
2「仕入れ等を行った」は、「課税法第36条第1項又は第3項の規定の適用を受けた」と、「自己建設高額特定資産の建設等に要した仕入れ等に係る支払対価の額の累計額が1千万円以上となった」は、「調整対象自己建設高額資産について消費税法第36条第1項又は第3項の規定の適用を受けた」と読み替える。

※ この届出書を提出した課税期間が、上記イ、ロ又はハに記載の各課税期間である場合、この届出書提出後、届出を行った課税期間中に調整対象固定資産の課税仕入れ等又は高額特定資産の仕入れ等を行うと、原則としてこの届出書の提出はなかったものとみなされます。詳しくは、裏面をご確認ください。

| 参 考 事 項 | |
| 税 理 士 署 名 | （電話番号　　−　　−　　） |

※税務署処理欄	整理番号		部門番号		
	届出年月日	年 月 日	入力処理	年 月 日	台帳整理 年 月 日
	通信日付印 年 月 日	確認	番号確認		

注意　1．裏面の記載要領等に留意の上、記載してください。
　　　2．税務署処理欄は、記載しないでください。

MEMO 簡易課税制度の適用をやめるときは「消費税簡易課税制度選択不適用届出書」を前年末までに提出します。

[帳簿・証憑類の整理]

帳簿や証憑類は整理して7年間保存する

領収書や請求書などは、とてもたいせつな証拠書類です。
きちんと整理・保存するようにしましょう。

スクラップブックやファイルボックスで整理する

開業して取引がはじまると、あっという間に溜まるのが領収書や請求書などの証憑類です。これらの整理・保存は「後でまとめて整理しよう」と考えずに**毎日きちんと行うこと**がとても大事です。

整理保存方法としては、スクラップブックに貼り付ける、ファイルボックスを利用して月別に保存するなどがあります。

整理・保存をおろそかにして、領収書を紛失し、そのために経費にならないなどという事態は避けなければなりません。**整理・保存は記帳と並んで事業者の必要条件**でもあるのです。

特に消費税で原則課税の適用を受ける事業者においては、厳しい整理・保存要件が求められているので注意してください。

帳簿や証憑類は7年間保存する

事業者は、次の①～③の帳簿および書類を整理して、住所地または事務所などに原則7年間保存しなければなりません。

①仕訳帳、総勘定元帳その他必要な帳簿

②棚卸表、貸借対照表および損益計算書ならびに計算、整理または決算に関して作成されたその他の書類

③取引に関して相手方から受け取った注文書、契約書、送り状、領収書、見積書その他これらに準ずる書類および自分の作成した書類でその写しのあるものはその写し（現金預金取引など関係書類に該当するもの以外は5年間保存）

また、帳簿に関しては、

ⅰ）取引の相手方の氏名または名称

ⅱ）取引年月日

ⅲ）取引内容（軽減税率の対象品目である旨）

ⅳ）税率の異なるごとに区分した取引金額

を記載しなければなりません。

check

☑ **領収書などは溜めずにまめに整理する。**

☑ **原則、7年間の保存が義務づけられている。**

☑ **保存方法を工夫する。**

 MEMO　領収書等と伝票に同じ番号を入れておくと、後で照合がしやすくなります。

帳簿や証憑類は整理して7年間保存する

証憑類の整理

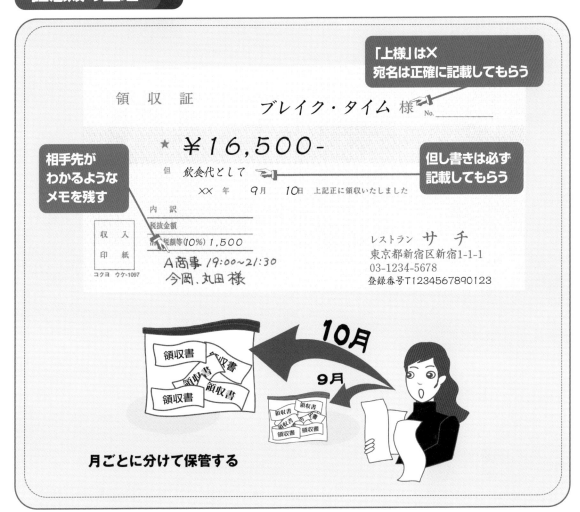

「上様」は×
宛名は正確に記載してもらう

領　収　証　　ブレイク・タイム 様　No.＿＿＿＿＿

★ ￥16,500-

相手先が
わかるような
メモを残す

但　飲食代として

但し書きは必ず
記載してもらう

×× 年　9 月　10日　上記正に領収いたしました

内訳
税抜金額
消費税額等(10%) 1,500

収入
印紙

コクヨ　ウケ-1097

A商事 19:00～21:30
今岡、丸田 様

レストラン　サ　チ
東京都新宿区新宿1-1-1
03-1234-5678
登録番号T1234567890123

10月

9月

月ごとに分けて保管する

領収書

COLUMN

電子帳簿保存法が改正される

　メール添付のPDFやウェブサイトからダウンロードする請求書や納品書、見積書など、今までは紙で印刷したものを原本として保管できましたが、2024年1月1日以降は電子帳簿保存法の要件に則って電子保存する必要があります。

　なお、売上高が5,000万円以下等一定の要件を満たす場合には、紙で保存していれば要件を満たさない方法で電子保存していてもよいこととされる等緩和措置が設けられています。

 e-Tax（国税電子申告・納税システム）もあります。利用には電子証明書の取得やカードリーダーなどが必要です。

著者の経験談から③
はじめての確定申告

◆**説明会で指導を受ける**

　個人事業を開始して税務署に「開業届」を出すと、地元の青色申告会から確定申告の案内が届きます。私の場合、確定申告ははじめてのことなので、青色申告会主催の説明会に参加しました。

　税務については、まったくのしろうとだったために目からうろこ状態でした。確定申告に向けて、ふだんからやっておかなければいけないこと、記帳のことなどを教えてもらいました。そのとき、「事業を開始した以上は、きちんと帳簿をつけて青色申告をしよう」と決心したものです。初年度だけは、無料で指導を受けられるということだったので、お願いすることにしました。

　また、手作業で伝票をつけるのは非効率的だと判断し、個人事業者向けの会計ソフトを購入しました。会計ソフトは、とても便利なものなので導入をおすすめします。

　ここ数年ではクラウドの会計ソフトも増え、年間で1万円以下のプランや無料お試し期間が1年以上というソフトもあります。気軽にいろいろと試してみてはいかがでしょうか。

　確定申告の時期には、青色申告会にはずいぶんとお世話になりました。指導を受けながら申告書を書いていて「税金はこんなしくみになっているんだ」ということがよくわかりました。

　確定申告は、税理士さんに依頼してもいいのですが、自分でまずやってみるということも大事かもしれません。私の場合、3年目までは自分で確定申告を行いました。その後は本業が忙しくなってきたので、税理士さんに依頼しています。

　確定申告の時期になると税務署でも説明会や指導を行っています。親切に教えてくれるので、はじめての方は、相談しながら申告書を完成させればいいでしょう。

第4章

事業開始の具体的な準備

電話とファクスは事業運営の必需品……112

インターネットを活用する……114

十分に検討して仕事の拠点を決める……116

いろいろな形の事務所がある……118

コストをかけない工夫をする……120

資金繰り表から資金準備を考える……122

資金繰り表から将来のお金の動きが見える
……124

はじめに公的融資を検討する……126

助成金を大いに活用する……128

資金調達でたいせつなのは事業計画書の作成
……132

カードローンや消費者金融は金利が高い
……134

[電話契約の選び方]

電話とファクス
は事業運営の必需品

電話は多様化しています。事業にあった電話を
選びましょう。

固定電話は必要なのか

　開業する際、新規に固定電話の契約が必要
なのか？　という疑問があります。

　職種によっては「スマホがあれば十分」と
割り切れるケースもあるでしょうが、**固定電
話には多くのメリット**もあります。

　まずは社会的信用の向上に繋がる点。連絡
先番号が携帯電話である場合、不信感を持た
れる可能性がありますが、固定電話のある企
業＝身元が確かな取引先といった印象を受け
るからです。通話が高品質であることに加え、
スマホよりもプライベートが守られやすいと
いうメリットもあります。

固定電話の契約先を
検討する

　NTTで電話・FAXを申し込む場合は、施設
設置負担金の支払いを伴う「加入電話」と支
払いを伴わない「加入電話・ライトプラン」
があります。**初期費用を抑えたいという場合
は「加入電話・ライトプラン」がおすすめで
す**（ただし月々の使用料金が若干割高）。

　一方、**インターネットを使った固定回線は、
毎月の通話料が安く抑えられるのが魅力**です。
ドコモ、au、ソフトバンク、またNURO光な
ど、ネット回線やスマホとセットで契約すれば
さら割引を受けられるメリットがあります。

　この他、手持ちのスマホに固定電話の番号
を入れられるアプリや、パソコンから固定電
話番号で通話ができるサービスもあります。

FAXはいまだ
現役選手として活躍

　近頃は企業のペーパーレス化が進んでいま
すが、ビジネスの現場では**FAXがまだまだ現
役**で利用されています。顧客や取引先がFAX
を望む場合もあるからです。

　FAX利用には「光IP電話と共に契約する方
法」と「インターネットFAXサービスを申し
込む方法」の2つの選択肢があります。

　インターネットFAXとは、FAXが届けばメ
ールでPDFを受け取り、FAXを送る場合は、
メールを送ると相手にFAXが届くしくみで、
機器の購入は必要ありません。

　ただし、送受信の回数が多いと、IP電話回
線で契約したFAXよりもコストがかさむ傾向
にあります。

プロバイダ
インターネット上で、何らかの情報やサービスを提供する業者の総称です。
多くの場合、インターネットへの接続サービスを提供するインターネッ
ト・プロバイダをさします。

電話とファクスは事業運営の必需品

いろいろな電話の種類

IP 電話

- ●インターネット回線を使用した電話。
- ●導入コスト・運用コストともに小さい。
- ●パソコンの機能と連動させられる。

- ●電話番号は市外局番から始まる固定電話と同様な場合と、050 から始まる 11 桁の番号がある。
- ●同系列プロバイダ間であれば通話無料など料金面のメリットもある。
- ●大容量の FAX や長時間の送信には注意が必要。
- ●110 番やフリーダイヤルへの発信はできない（ひかり電話との併用等で補う）。

他のインターネット電話

- ●ビデオチャットツール（パソコン、スマートフォン、タブレットを使用したテレビ電話形式）には Zoom、Skype など無料（グレードにより有料）のものや、営業に特化した bellFace などの有料のものがあり、コロナ禍以降は主流となりつつある。
外出する必要がなく、その場で商談や会議などを行えるのが最大のメリット。
遠方にいる取引先や顧客とのやり取りも行える。
- ●LINE や Skype などでは、画面（カメラ）がなくても、マイクがあれば同じアプリを使用することにより通話することが可能。

スマートフォンは必須

- ●メール、スケジュール管理など、1 台で多くの機能を担うことが可能。
- ●法人契約や、家族契約で割安になる。
- ●携帯電話にかかってきた電話を固定電話に転送するサービスもある。
- ●Instagram や X（旧 Twitter）などの SNS を利用し、事業の宣伝に役立てる。

COLUMN

電話番号選び

　お店を運営する場合は、電話番号にも気を使いましょう。覚えやすい番号や語呂のいい番号を取得するにこしたことはありません。

　NTTから電話加入権を購入する場合は、NTTがいくつかの番号を提示してくれるので、その中からよさそうな番号を選択しましょう。

MEMO

どうしても使いたい電話番号がある場合、有料サービスのフリーダイヤルやナビダイヤル（オペレーション機能つき）を使えば、ある程度の選択が可能です。

[インターネット環境の整え方]
インターネットを活用する

情報収集だけでなく、営業ツールとしても
インターネットの活用を検討しましょう。

インターネット環境の構築は今や常識

インターネットは、今や家庭でも企業でも欠かせないものになっています。どんな業種の事業を行うにしても**インターネット環境はきちんと構築しておく**必要があります。

さまざまな情報収集だけでなく、レンタルサーバーでホームページを開設し、自社の優位性をアピールしたり、ブログやSNSを営業・宣伝に活用したりすることもできます。

インターネット環境を構築しておけば、自宅兼オフィスが大きく世界へ窓を広げることになるのです。

接続方法は多様化している

インターネット接続の方法として、NTT回線のほかに、ケーブルテレビや電力会社回線の光ケーブル、モバイルルーターを使用したものがあります（使用可能なエリアか確認すること）。回線によっては、プロバイダを選択することでコストが割安になることもあります。

データ量や扱う情報が多い場合には、有料クラウドサービスを契約して自分だけの領域を確保するという契約形態もあります。

セキュリティには十分気を配る

インターネットは、世界中に情報発信でき、世界中の情報を自室にいながらにして入手できるという窓です。しかし世界の不特定多数に向かって窓をあけていると、とんでもないものが飛び込んでくることがあります。それがウイルスです。

ウイルスは、WEBサイト、電子メール、ネットワーク（たとえばLAN）など、あらゆるところから侵入してきます。リスクを回避するためにも、**最新のウイルス対策ソフトを必ず使用する**ようにしましょう。

check

✓ **インターネット環境を整える。**

✓ **インターネットを事業経営に活用する。**

✓ **セキュリティには、十分に注意を払う。顧客リストなどは特に注意。**

MEMO　インターネットの設定が苦手だという人は、コストはかかりますが、業者に依頼しましょう。自分の知識レベルとコストを比較し、費用対効果を考えましょう。

インターネットを活用する

ウイルス対策

■ウイルスに侵入されると

● ネットワーク環境が壊滅的な被害を被り、業務がすべて停止してしまうリスクがある。

● 無差別にメールを大量送信するなど、客先にも被害を及ぼす恐れもある。

● 個人情報や機密情報の流出、またサーバー上のデータの停止・改ざんによって、会社の信用問題、社会問題に発展することさえある。

● データの復旧と引き換えに身代金を要求される被害が増大している。

● メールに添付されたファイルは、たとえ知人からのメールであっても、むやみに開かない（電話等で送信を確認してから開く）。

■ウイルス対策ソフト

● ウイルスバスター（トレンドマイクロ）

● ESET セキュリティ
（イーセットジャパン）

● ノートン360（ノートン LifeLock）

※プロバイダ契約時にセキュリティソフト付随の契約をすることもある。
※無料でセキュリティ対策を行っているプロバイダもある。

COLUMN

ウイルス対策ソフトだけに頼らない

　ウイルスは新しいものが次々と発生してくるので、ソフト会社は新種のウイルスを追いかけ、バージョンアップを随時行っています。

　仕事に支障をきたさないよう、このようなソフトの利用のほかに、

● 外付けHDD、SSD、クラウドストレージなどに定期的にバックアップをとる

● 無線LANや、常時接続のケーブルテレビ回線などを使っている場合、電波傍受によって情報を受け取られてしまう可能性があるので、必ず暗号化機能設定などを行う

● サーバーを置いている場合はサーバーから末端までのセキュリティ対策をすることが必要（一部分だけの対応をしても効果はない）

● 提供元の不明なソフトウェアやファイルを安易にダウンロードしない

インターネットセキュリティに関しての情報が発信されています。
独立行政法人　情報処理推進機構……https://www.ipa.go.jp/security/index.html

十分に検討して
仕事の拠点を決める

自宅での開業と自宅以外での開業など、仕事の拠点は、
コストを考えて慎重に決めましょう。

自宅での開業と自宅以外での開業の比較

	メリット	デメリット	ポイント	こんな人・業種に向いている
自宅での開業	●通勤時間がかからない ●事務所賃貸料がかからない ●手軽に事業を開始できる（事務所探し、契約作業にかかるコスト・時間がかからない） ●いつでも仕事ができる	●公私の区別があいまいになる ●モチベーションが下がりやすい ●顧客の訪問に不向き ●だらだらと仕事をしてしまいがち ●店舗が必要な事業の場合は、不向き	●手軽である反面、公私の区別がつきづらいなど、危険な面がある	●商品をかかえない事業 ●パソコンとFAXで仕事ができる事業 フリーのデザイナー、編集者、WEB制作、ITソフトウェア開発、税理士、社労士など資格商売　　など ●小さい子供がいる人などは、自宅にいる時間が長いほうが仕事と家庭の両立に役立つ
自宅以外での開業	●仕事とプライベートが分けられる ●オフィスがあるということで、信用力が増す ●オフィス環境を整えやすい ●求人がしやすい ●顧客の訪問にも対応できる ●事業を行う上でのけじめがつき、モチベーションアップにつながる	●事務所賃貸料や備品の調達などコストがかかる ●事務所探しやオフィスの設定など、時間と労力がかかる ●通勤時間がかかる	●計画を立て、よく考えてから決める ●自宅での開業に比べて投資が大きくなる	●商品を販売する事業 ●立地や設備、広さが売上に直接影響する事業 洋服店、花店、酒店、飲食店、理髪店、旅館、ペンション、マッサージ店　　など ●魅力ある場所づくりができることがたいせつ。どんな業種でも仕事に集中できる環境づくりをしたい人にはよい

保証金は地域によって差があり、だいたい月額家賃の4か月〜10か月分となっています。不動産会社への手数料は通常1か月分程度です。この場合、管理費は含まれません。

十分に検討して仕事の拠点を決める

拠点をどこにするかを決める

事業をはじめるにあたり、**どこを拠点にするかはとても重要**な問題です。

自宅を仕事場にするか、事務所を構えるか、また事務所を構える場合、どんな場所に借りるか、規模はどの程度にするかを考えなくてはなりません。

せっかく独立開業するのですから、自分の好きな場所、好きな環境、好きなレイアウトを実現したいものです。自分好みの仕事場を実現すると、どんどん仕事がはかどり事業も発展するかもしれません。

しかし、**コストは無視できません**。一等地に十分な広さの仕事場を希望しても、開業したばかりでは家賃の負担に耐えられません。

ここでは、自宅での開業と自宅以外での開業を比較してみましょう。

一般オフィスを借りるときのポイントと全国賃料の相場

POINT1　ネットなどでその地域の賃料相場を調べる。

POINT2　賃料は、ビルの築年数（新しいほうが高い）、大きさ（大型ビルのほうが高い）にも影響される。

POINT3　賃料のほかに管理費（共用部分にかかる費用やエレベーターなどの利用料、清掃料など）がかかる。

POINT4　保証金、不動産会社への手数料を忘れないこと。

坪数20坪から50坪の規模のオフィスの相場

札幌　7,000円〜16,000円程度／坪

東京主要5区　14,000円〜32,000円程度／坪

名古屋　7,500円〜17,000円程度／坪

大阪　9,000円〜20,000円程度／坪

仙台　10,000円〜17,000円程度／坪

大宮　10,000円〜18,000円程度／坪

千葉　10,000円〜14,000円程度／坪

東京23区　11,000円〜30,000円程度／坪

横浜　10,000円〜20,000円程度／坪

福岡　10,000円〜18,000円程度／坪

※東京主要5区とは、新宿区、千代田区、中央区、渋谷区、港区のこと。

MEMO　コロナ禍でテレワークによる働き方が増えたことにより、事務所を縮小したり、契約そのものを見直したりする動きもあります。

［オフィス選びのポイント］
いろいろな形の
事務所がある

いろいろな形の事務所や店舗の中から、
目的にあったタイプを選びましょう。

レンタルオフィスのケース

■特徴

- ●一般的に1〜3人程度の入居を想定している場合が多い。

- ●事業の拡大によって手狭になった場合は、同じビル内でもう1スペースを借り増すこともできる。

- ●オフィス街といわれる立地に多くあるので、手軽に好立地のオフィスを確立したい場合に有効。

■サービス内容

- ●来客対応、電話対応、宅配便の受け取りなどの受付サービス。

- ●会議室・応接室は共有。予約制での利用が基本。時間に応じて課金となる場合が多い。

- ●机などの家具付のオフィスもある（レンタルもできる）。

- ●パソコンのレンタルを行っているところもある。事業内容によっては、回線スピードなど必要な環境をチェックすること。

■トータルコスト

- ●敷金・保証金などは、月額賃料（基本利用料）の1〜6か月程度で設定されている（通常オフィスと比較するとコストをおさえられる）。

- ●面積あたりに換算すると通常オフィスより割高になる場合が多い。しかし、賃借面積を小さくすることによってコストをおさえられる。

■ランニングコスト

- ●賃料（基本利用料）、共益費（管理費）のほかに、受付などの人的なサービス、会議室・応接室・その他設備などの利用料、水道光熱費、清掃費用、通信費などの利用料がかかる（基本利用料に含まれている場合もある）。

《賃料の相場》
　　東京都心　35,000円〜100,000円程度／月額
　　大阪市　　30,000円〜75,000円程度／月額

WORD **イニシャルコストとランニングコスト**
イニシャルコストとは、保証金、敷金、手数料など、事務所を借りるときに1度だけかかる費用です。ランニングコストとは、家賃、管理費、光熱費など、毎月経常的にかかるコストです。

いろいろな形の事務所がある

何をしたいかで事務所を選ぶ

拠点が決まったら、次は事務所選びです。事務所には、従来型のほか、レンタルオフィスやバーチャルオフィスなどがあります。

自分の描いている事業の形態にマッチする最適なオフィスを選択しましょう。ただし、コストを無視した事務所選びは禁物です。コストは賃料だけでなく初期費用も含めて考えます。

儲けるために個人事業をはじめるという「商売・経営タイプ」の場合は、やはりしっかりした従来型の**事務所もしくは店舗を思い切って借りる**ことが発展につながるでしょう。

それに対し、やりたい仕事をするために個人事業をはじめるという「夢実現タイプ」の場合は、**自由度のある自宅やバーチャルオフィス**などがよいでしょう。

バーチャルオフィスのケース

■サービス内容
● 専用の住所を利用、社名掲示。
● 郵便物・宅配便受け取りサービス。
● 電話秘書、電話代行サービス、転送電話、FAX代行受信など。

■利用料金
● 月額5,000円から35,000円程度のものが多い。
● レンタルオフィスと比較して、イニシャルコスト・ランニングコストはかなり低くおさえられる。

■ポイント
● 自宅で開業する場合でも、オフィス街に所在地があることがイメージアップ、顧客獲得にプラスになるような業種におすすめ。

COLUMN

事務所シェアという方法も

事務所の選び方の1つに、事務所をシェア（共有）するという方法があります。家賃や光熱費の負担が減るだけでなく、コピー機やFAXなどを共通で使えるメリットがあります。電話番なども交代で対応できたりします。シェアの相手は同業者でも、まったく関係のない業種でも、どちらでもかまいません。

シェアの方法、ルールをしっかり決め、契約書を作成しておくことが、事務所シェアでのトラブルを防ぐ秘訣です。

MEMO ビジネスコンビニといって、個人事業などのビジネスに必要なコピーや印刷、データ出力、製本などが手軽に利用できる設備が集まった店舗があります。

［設備・備品の準備］
コストをかけない
工夫をする

事業がはじまれば、設備や備品が必要になります。
できるだけコストをおさえる工夫をしましょう。

設備・備品は計画を立てて用意する

　事業を開始してすぐに必要になるのは、設備・備品です。どのような設備・備品が必要になるか、**事前に計画を立て準備をしておき**ましょう。

　その場その場で購入していると、細かいものでも積もり積もって意外と大きな金額になってしまいます。

インターネットの通信販売は便利

　次ページのリストで、事業に必要な設備・備品をチェックしてください。チェックが終わったら、いつごろ、どこで購入または手に入れるかを考えましょう。

　事務用品や消耗品に関しては、ネットなどで簡単に注文できる通信販売もあります。開業したばかりのころは、いろいろな雑務に追われ、買いに行く時間がなかなかとれないこともあります。そんなときにインターネットでさっと注文すると配達もしてくれるのでとても便利です。

新品にこだわらない

　デスクやイス、ロッカーなどは中古家具を販売する店で入手するのも1つの方法です。コピー機、FAXなどの機器類も、中古を取り扱っている会社があります。

　さらに、もし知り合いの会社などで、引越し予定があったら、不要な備品を譲ってもらえるよう申し出てみましょう。案外不要な備品が出るものです。先方も廃棄料金がかかるので、引き取り手があれば、喜んで譲ってくれるはずです。

　このように、中古販売や知り合いからの調達を考えて、**開業当初のコストをできるだけおさえる工夫をする**ことがたいせつです。

check

- ☑ **必要な設備・備品については、計画を立てて準備する。**
- ☑ **インターネットでの通信販売やネットオークションなども利用する。**
- ☑ **開業当初は何かとお金がかかる。設備・備品のコストをおさえる工夫をする。**

MEMO　インターネットで備品などの買い物ができるカウネットのホームページです。
https://www.kaunet.com/

コストをかけない工夫をする

設備と備品のチェックリスト

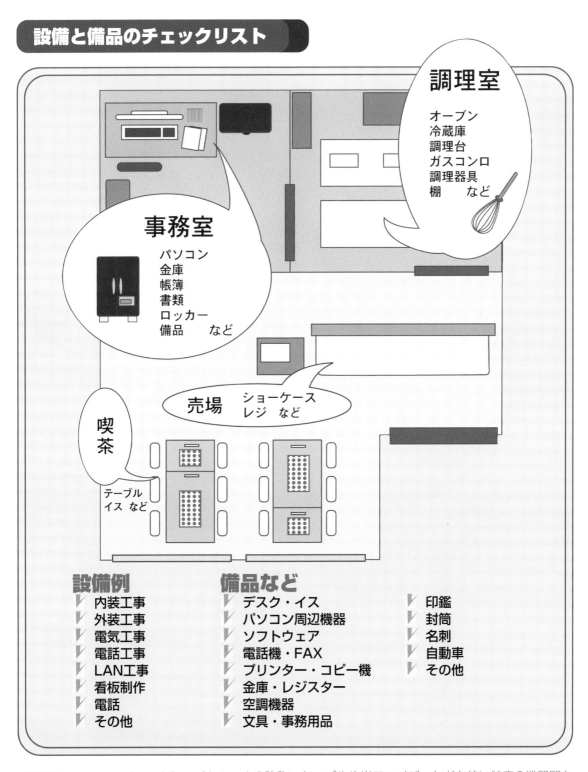

調理室
オーブン
冷蔵庫
調理台
ガスコンロ
調理器具
棚　　など

事務室
パソコン
金庫
帳簿
書類
ロッカー
備品　　など

売場　ショーケース
　　　　レジ　など

喫茶
テーブル
イス　など

設備例
- 内装工事
- 外装工事
- 電気工事
- 電話工事
- LAN工事
- 看板制作
- 電話
- その他

備品など
- デスク・イス
- パソコン周辺機器
- ソフトウェア
- 電話機・FAX
- プリンター・コピー機
- 金庫・レジスター
- 空調機器
- 文具・事務用品
- 印鑑
- 封筒
- 名刺
- 自動車
- その他

  LAN Local Area Networkの略称。ケーブルや光ファイバーなどを使い特定の機器間を接続するものを有線LAN、電波などを用いた無線通信で接続するものを無線LANといい、一般的な規格にWi-Fiがあります。

資金繰り表から資金準備を考える

お金（現金）を意識せずに事業の継続はありません。現金が不足しないようにするには資金繰り表がたいせつです。

資金繰りとはお金の都合をつけること

お金なしで事業はできません。商品の仕入だけでなく、お客さんのところへ行く交通費やオフィスの電気料金、消耗品など、仕事をするのにはお金がかかります。「お金がなくなってしまって何もできない」などということがあってはなりません。

事業を続けるための**お金をきちんと準備しておくこと、それが資金繰り**です。

必要な資金が準備できていなければ、126〜131ページにあるように融資や助成金を検討する必要も出てきます。

資金繰りはだれでも考える?!

だれでも、どんな仕事でも個人事業をはじめたらお金を意識しなければなりません。しかし、すべての個人事業者が資金繰り表を作成して資金繰りを考えなければならないということではありません（→次ページ）。事業の内容によっては、キャッシュフロー表（→125ページ）の作成までは必要ありません。

ただし、どんな事業であっても、1か月あたりの収支は必ず把握をしておくようにしましょう。

キャッシュフロー表は小遣い帳、家計簿と同じ

「キャッシュフロー」とは「お金の流れ」のことです。

そして、「今いくらお金がある」「将来いくらのお金が入金され、それで○○の支払いをする」などのお金の流れを見るのがキャッシュフロー表です。子供の頃につけた小遣い帳や家庭でつける家計簿もキャッシュフロー表です。

キャッシュフロー表をつけるのは決して難しくありません。

check

☑ 資金繰りとはお金の出入りの管理をすること。

☑ 入金と支払いのタイミングをおさえよう。

☑ お金の流れをつかみ、現金不足にならないように気を配る。

 WORD しきんぐ **資金繰り** お金の出入りの管理をすることをいいます。これに失敗すると入金より前に支払いが発生し、現金がなく大変なことになります。これを資金ショートといいます。

資金繰りをきちんと考えたほうがよい主なケース

● 小売、飲食店など商品や材料の仕入が必要な事業をはじめる場合

● 人を雇って人件費の支払いが必要な場合

● 店舗や事務所の賃借料など1か月あたりの固定的な経費がまとまった金額になる場合

● 融資を受け、借入金の返済がある場合

小遣い帳はキャッシュフロー表

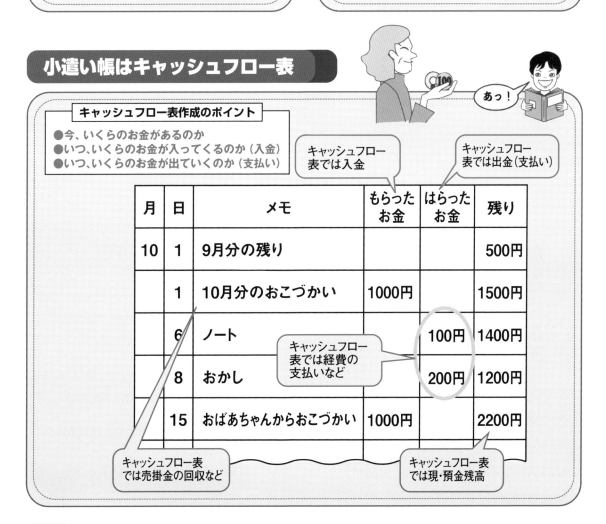

あっ！

キャッシュフロー表作成のポイント

● 今、いくらのお金があるのか
● いつ、いくらのお金が入ってくるのか（入金）
● いつ、いくらのお金が出ていくのか（支払い）

キャッシュフロー表では入金

キャッシュフロー表では出金（支払い）

月	日	メモ	もらったお金	はらったお金	残り
10	1	9月分の残り			500円
	1	10月分のおこづかい	1000円		1500円
	6	ノート		100円	1400円
	8	おかし		200円	1200円
	15	おばあちゃんからおこづかい	1000円		2200円

キャッシュフロー表では経費の支払いなど

キャッシュフロー表では売掛金の回収など

キャッシュフロー表では現・預金残高

MEMO 毎月きちんと給料を払うのは大変なことです。そのためにも計画的な資金の管理が必要です。自分の分を後にしても、給料の支払いは最優先にしましょう。

資金繰り表から
将来のお金の動きが見える

お金の動きがわかるように資金繰り表を作成します。
これにより将来の予測をすることもできます。

目に見える形に
することがポイント

事業をはじめると、
「現在、銀行に○○万円のお金がある」
「月末に、電話代とコピー機のリース代○○円
　の支払いがある」
「25日に払う給料○○万円を確保しておこう」
「今月は売上の入金はないから残金は○○万円
　に減る」
「来月はA社から○○万円の回収があるから残
　金が増える」
といったことを、いつも考えていなくてはな
りません。

資金繰り表（キャッシュフロー表）があれ
ば、これらの数字の動きがひと目でわかるの
で、**将来のお金の動きを予測することができ
ます。**事業にとってたいせつなお金の算段を、
目に見える形でわかるようにするのが、資金
繰り表をつくる目的です。

資金繰りで事業主の資質
が問われる

資金繰りのポイントは、入金をできるだけ

早くして、出金をできるだけ遅くすることで
す。これができるように取引のはじめの段階
で相手の会社にお願いしてみることも、資金
繰りをよくする1つの手立てです。

しかし、事業は、いつもうまくいくとは限
りません。どうやりくりしても、お金が足り
ないということも起こります。

資金繰りは、**事業主としての資質を養って
いくことにもつながっています。**資金がショ
ートしそうなときに、どのような対応をする
かがポイントとなります。

たとえば、再来月、資金がショートすると
わかった場合、どうやってそのお金を補うの
か、計画を立てなければなりません。

頭を下げて借りてくるのか、自分の取り分
を減らすのか、または相手にお願いして支払
いを待ってもらうのか、といった具合です。

check

☑ **資金繰り表でお金の動きを管理する。**

☑ **「入金は早く、出金は遅く」が資金繰り
　のポイント。**

☑ **資金ショートが起きないかを、
　常にチェックする。**

MEMO　キャッシュフロー表と資金繰り表は厳密には違うものですが、キャッシュフロー表をつくれ
ば、それが資金繰り表になります。

資金繰り表から将来のお金の動きが見える

資金繰り表（キャッシュフロー表）

資金繰り表

	4月	5月	6月	7月	8月	9月
売上高	200	320	400	250	380	420
仕入高	120	220	270	160	220	250
前月繰越金		0	▲5	45	145	▲20
売上現金回収	190	200	320	400	250	380
その他	10	15	0	20	0	0
回収合計	200	215	320	420	250	380
仕入現金支払	100	110	120	220	270	160
諸経費	20	20	30	10	15	20
人件費	80	90	100	70	90	100
その他						
支払合計	200	220	250	300	375	280
差引過不足金額（回収合計−支払合計）	0	▲5	70	120	▲125	100
借入金返済	0	0	20	20	40	40
返済金合計	0	0	20	20	40	40
翌月繰越金	0	▲5	45	145	▲20	40

売掛金は翌月入金がルールとなっている

仕入（買掛金）は翌々月支払いがルールとなっている

資金繰りが必要

※上記は代表的な資金繰り表。事業にあわせ、項目など工夫をする。

MEMO Excelなどの表計算ソフトを使えば、簡単に作成できます。また、無料でダウンロードできるものもあるので適宜活用しましょう。

[資金調達の選択肢]

はじめに
公的融資を検討する

融資は、まず公的融資から検討します。民間の金融機関からの融資は厳しいと考えましょう。

公的融資を利用する

独立開業して数年の実績を積み、ある程度の規模と信用ができれば、民間の金融機関から融資を受けることもできます。

しかし、開業前もしくは開業してすぐの個人には、なかなか**すんなりとは融資をしてくれない**ものです。

そこで利用したいのが、公的な金融機関の融資制度です。政府系金融機関といわれるもので、小規模事業者向けに融資を行っています。

また、信用力のない個人事業者が金融機関から融資を受ける場合に債務保証をする**信用保証協会**が行っている制度もあります。

◆政府系金融機関とは

経済産業省や中小企業庁管轄の機関で、各金融機関が直接の取り扱い窓口となります。個人事業者が利用するのは、主に日本政策金融公庫（日本公庫）などです。

◆信用保証協会とは

小規模事業者の金融円滑化のために設立された公的な機関です。個人事業者などが金融機関から事業資金を調達するときに、信用保証協会が保証人として事業者の信用力を補完してくれます。これにより資金の調達がスムーズになります。

民間の金融機関のハードルは高い

先にも述べたように、民間の金融機関は、開業前や開業したての**個人にはハードルが高い**といえます。融資に対して担保設定や高めの金利を要求される場合もあります。

はじめて融資を受ける場合は、上記の信用保証協会などを利用し、つきあいを継続したい金融機関の支店を窓口にします。そこで実績を積むことにより、今後の融資に発展する場合もあります。

check

☑ 開業したての個人事業者に、民間の金融機関からすぐに融資がおりることはほとんどない。

☑ 公的金融機関の利用を考えよう。

☑ 信用保証協会を利用して実績を積む。

MEMO　信用保証協会は誰にでも保証するものではありません。金融機関と同じような審査があります。

はじめに公的融資を検討する

公的融資の例

	日本政策金融公庫	信用保証協会
	新企業育成貸付	創業関連保証

	日本政策金融公庫 新企業育成貸付	信用保証協会 創業関連保証
制度（対象者）	●新規開業資金 新たに事業を始める方もしくは事業開始後おおむね7年以内の方 [女性、若者／シニア起業家支援関連] 女性または35歳未満か55歳以上の方であって、新たに事業を始める方や事業開始後おおむね7年以内の方 ●再挑戦支援資金関連（再チャレンジ支援融資） 廃業歴等のある方など一定の要件に該当する方で、新たに事業を始める方または事業開始後おおむね7年以内の方	個人による創業や新たに法人を設立して行う事業に必要な資金を融通する制度 ●保証限度額：3,500万円 ●「創業計画書」の提出が必要

※各都道府県（市）により独自の融資制度を行っている場合もあるため、気軽に問い合わせをしてみましょう。

東京信用保証協会「創業カードローン当座貸越根保証制度」
●融資限度額が300万円
●創業5年以内の創業者が対象
●反復継続的な利用が可能
●必要な時に自由に出し入れできる

	日本政策金融公庫 新企業育成貸付
融資の種類	●設備資金 ●運転資金
申し込み方法	●窓口、郵送等より申込受付を行う ●所定の借入申込書を提出。その際は、次の書類を添付する ・創業計画書 ・設備資金の申込の場合は見積書 ・履歴事項全部証明書または登記簿謄本（法人の場合） ・運転免許証またはパスポートのコピー ・担保を希望する場合は、不動産の登記簿謄本または登記事項証明書
融資限度額	●設備資金：7,200万円 ●（内）運転資金：4,800万円
融資期間	●設備資金：20年以内（うち据置期間5年以内） ●運転資金：10年以内（うち据置期間5年以内） 　ただし、再挑戦支援資金の場合は15年以内 　（うち据置期間5年以内）
担保・保証人	●原則必要。ただし、希望により相談に応じてもらえる

COLUMN

知り合いからの資金調達

　親や親戚、知人、友人などからの資金調達は、めんどうな手続きや審査がいらないというメリットがある反面、お金が原因でせっかくの関係が壊れてしまうなどのデメリットもあります。

　知り合いからの出資は、事業経営の励みになり、モチベーションアップにもつながりますが、できれば、資金調達の話は持ち出さないほうがいいでしょう。

　どうしても借りなければならない場合には、返済についても記載した借用証書を作成し、利息もきちんと支払うようにしましょう。

MEMO　知り合いから資金を借り入れした場合は、返済の証拠を残すためにも振込みによる返済をおすすめします。

[国の助成金]

助成金を
大いに活用する

返済不要のお金、それが助成金です。利用できる
助成金がないか、必ずチェックをしてください。

助成金は
返済しなくてもいい

　助成金は、借入金と違い**返済不要のお金**です。目的や条件などにより100種類以上もの助成金が用意されています。

　助成金を受けるには、手続きが必要です。指定された条件をクリアできた個人や企業が書類等を準備して申請・応募をし、審査の結果、助成金を受けられます。

　助成金は、条件を満たし申請をすればほぼ確実に給付を受けられるものから、条件を満たしただけではなく他の応募者と内容を比較し、対象者を決めるものもあります。

◆厚生労働省の助成金

　労働者を雇用すること、また雇用した労働者が安心して働けるような環境を整備することなどの目的に対して助成されます。

　申請等の窓口は厚生労働省の下部組織（ハローワークなど）や所管の独立行政法人などとなっています。

　厚生労働省関係の助成金は他と比較すると、**条件さえあっていれば受け取りやすい助成金**です。

◆経済産業省の助成金

　新規の事業や研究を中心に助成があります。中でも中小企業庁の管轄のものは中小企業に対する支援制度となっています。

　経済産業省が直接募集を行う場合は、各施策に基づき募集期間を定めて公募しているものが多いようです。

　申請等の窓口は、助成金の種類によって、各都道府県の商工部、商工振興部等や経済産業局とそれぞれ異なります。

◆その他の省庁の助成金

　科学技術、エネルギーや環境などのテーマに基づくいろいろな助成金もあります。こういった分野での起業を考えている方は、**情報を収集してみる**とよいでしょう。

check

☑　**助成金は返済不要のお金。**

☑　**国や地方自治体、外郭団体などが実施している。**

☑　**さまざまな助成金がある。自分にあった助成金があれば利用しよう。**

MEMO　どのような助成金があるかについては、「助成財団センター」が年1回発行している本や助成財団センターのホームページを参照してください。
https://www.jfc.or.jp/

助成金手続きの流れ

助成金の種別の検索・自分に最適な助成金を探す
- 130、131ページを参考に。
- 条件等が複雑でわかりづらい場合は、電話などで確認する。

⬇

これはと思う助成金が見つかる

⬇

問い合わせ窓口を確認する

⬇

詳しい情報を収集する。申請をするための条件を確認し、申請書類を取り寄せる
- 助成金の目的、対象範囲、助成を受けるための条件、実施団体、申請先、期限などを確認する。
- 必要な書類を取り寄せる。

⬇

必要であれば、窓口に相談に行く

⬇

事前チェック（チェック項目）

 申請書類   受給額
 申請期限   申請窓口
 必要書類

⬇

書類等を準備する
- 申請書類は記載もれ、誤字などがないようにチェックする。
- 添付書類の部数を確認する。原本が必要か写しでもよいかも再確認。
- 綴じ方の指定があれば、指定どおりになっているかを確認する。

⬇

申請をする
- 直接持ち込みの必要があるか、郵送でも大丈夫かを確認する。

> 問題があった場合、その場での対応が可能になるため、持ち込みがおすすめ。

⬇

助成金を受給する
- 審査結果を待ってから受給となる。
- 必ず受給できるのかを確認しておく。審査結果による場合は、結果の出る時期も確認しておく。
- 複数回受給できる助成金などの場合は、2回目以降の手続きについても確認しておく。

 MEMO 助成金は経理上、雑収入になります。営業上の収益ではなく、それ以外の収益という取り扱いです。

主な助成金一覧

名称	概要
地域雇用開発助成金 （地域雇用開発コース）	●雇用機会が特に不足している地域※1において、事業所の設置・整備を行い、ハローワーク等の紹介により労働者を雇い入れた事業主に対し、最大3年間（3回）助成金が支給される。また創業の場合は、支給額に上乗せがある
特定求職者雇用開発助成金 （特定就職困難者コース）	●高年齢者、障害者、母子家庭の母などの就職困難者を、ハローワーク等の紹介により、継続して雇用する労働者（雇用保険の一般被保険者）として雇い入れた場合に支給される （日本に避難を余儀なくされたウクライナの住民等も対象となる）
特定求職者雇用開発助成金 （就職氷河期世代安定雇用実現コース）	●いわゆる就職氷河期に就職の機会を逃したことなどにより十分なキャリア形成がなされず、正規雇用労働者※5としての就業が困難な対象者を正規雇用労働者として雇い入れた場合に支給される
早期再就職支援等助成金 （雇入れ支援コース）	●事業規模の縮小など、事業主の経済的事情により離職を余儀なくされた労働者で「再就職援助計画」※6の対象者を早期に雇い入れた場合に支給される

※1：「雇用機会が特に不足している地域」とは、求職者に比べて雇用機会が著しく不足している地域（同意雇用開発促進地域）と若年層・壮年層の流出が著しい地域（過疎等雇用改善地域）と、離島などの地域（特定有人国境離島等地域）をいう。
※2：計画期間（計画書の提出から事業所の設置・整備および雇入れ完了まで）は最長18か月。
※3：次の要件を満たすものが創業として上乗せされる。
　　・新たに法人の設立または個人事業を開業する中小企業事業主であること
　　・営業譲渡、営業の賃貸借、営業の委託等に伴い設立された法人または個人事業主でないこと
　　・創業当初から当該法人または個人事業の業務にもっぱら従事すること（兼業は認められない）
　　・創業（個人事業の場合、開業届（開業から1か月以内に税務署に提出しているものに限る）の開業日または雇用保険の適用事業主となった日のいずれか早いほう）から2か月を経過する日までの間に計画書を提出する事業主であること（職歴書も必要）
　　・親会社、子会社、関連会社が存在しないこと
　　・過去3年以内に法人の代表者または個人事業主であった者でないこと
　　・取締役会等の構成員の過半数が他の事業主の取締役会等の構成員でない、または構成員であった者でないこと

都道府県によっては、国の助成金に上乗せをする補助金の制度がある場合もあるので、調べて活用しましょう。

助成金を大いに活用する

主な条件	助成額
●事業所の設置・整備を行う前に、管轄の都道府県労働局長に計画書※2を提出すること ●雇用保険の適用事業所を設置・整備すること ●ハローワーク等の紹介により地域求職者を2人以上雇い入れること ●労働者の職場定着を図っていること ●労働関係法令をはじめ法令を遵守していること	●事業所の設置・整備費用に1点あたり20万円以上で合計額が300万円以上かかった場合に、その費用の金額と対象労働者の人数により、1回50万円～800万円が最大3年間で3回まで支給 ●創業※3と認められる場合は、1回目に100万円～1,600万円が支給される
●雇用保険の適用事業主であること ●ハローワーク等※4の紹介により対象労働者を雇い入れること ●助成金の受給終了後も、対象労働者を雇用保険の一般被保険者として引き続き相当期間雇用することが確実であると認められる事業主であること ●労働者名簿、賃金台帳、出勤簿等を整備・保管し、速やかに提出できる事業主であること	●60歳以上の高年齢者、母子家庭の母等：1人あたり60万円（1年間）／短時間労働者40万円（1年間） ●身体・知的障害者（重度を除く）：1人あたり120万円（2年間）／短時間労働者80万円（2年間） ●重度障害者等：1人あたり240万円（3年間）／短時間労働者80万円（2年間）
●1968年4月2日から1988年4月1日の間に生まれた方で、正規雇用労働者として雇用されることを希望している対象者をハローワークなどの紹介によって雇用すること	●1人あたり60万円（1年間）
●「再就職援助計画対象労働者」を、離職日の翌日から3か月以内に、雇用保険被保険者かつ期間の定めのない労働者として雇い入れた事業主 ●雇い入れ日から6か月を超えて引き続き雇用していること	●1人あたり30万円（優遇助成に該当した場合は40万円）。雇い入れ日から6か月以内にOFF-JT、OJTを開始した場合は人材育成支援の助成960円～60万円もある

※4：ハローワーク、地方運輸局、職業紹介事業者等。
※5：期間の定めがなく、短時間労働者（週20時間以上30時間未満）ではなく、労働条件に長期雇用を前提とした待遇が適用されている労働者。
※6：事業主は、事業規模の縮小など経済的な理由で相当数の労働者を離職させる場合に、労働者に対して「再就職援助計画」を作成しハローワークの認定を受ける必要がある。この「再就職援助計画」の対象者となった人が「再就職援助計画対象労働者」となる。

問合せは各都道府県労働局または最寄りのハローワークへ

MEMO 雇用保険の適用事業所になると、いろいろな助成金を受け取れる可能性が広がります。

131

資金調達でたいせつなのは 事業計画書の作成

事業計画では事業に対する自分の熱意を十分に伝えるようにしましょう。

融資を受けるためには 事業計画書の作成が必要

　資金調達をするのにたいせつなのは、自分の事業内容、資金計画を理解してもらい、相手に貸した**お金が返せる相手**だということをわかってもらうことです。

　日本政策金融公庫の場合は、書式は決まってはいませんが、次のページのモデル様式にあるような内容を盛り込んだ計画書をもって融資の申し込みをします。事業計画では、きちんとした計画のほかに自分の事業に対する**思いや熱意もしっかりと伝えてください。**

事業計画書に盛り込む内容

《自分と会社の理念》
- 自分や会社の理念は何なのか
- どのように事業化するのか
- 何をして利益をあげ、社会に貢献するのか

《実現可能な数字》
- 実現が可能な売上・利益計画か
- 必要経費と資金調達の計画は考えているか（やたらと友人からの借入が多いなどはマイナス材料）
- 開業後の見通しは立っているのか（1年先までショートを起こさない計画か）

《業界の知識・スキル》
- 競合商品や競合者との違い（付加価値）はあるか
- 業界に自分自身がどのようにかかわっていくか

《本人の経歴》
- 自分の経歴をうまくアピールできるか（商売をはじめようとしている業界での経歴は、一番の信頼の種となる）

《前向きな情報》
- 売上・利益が伸びる情報をもっているか
- 業界と自分の事業のプラス要因を把握しているか
- マイナス要因についても把握し、リスクヘッジしているか

MEMO 金融機関は、「今まで給与振り込みなどで使用していた」「場所が近い」「地方銀行・信用金庫のコミュニティバンク」などを理由に選ぶことをおすすめします。

事業計画書に盛り込む内容

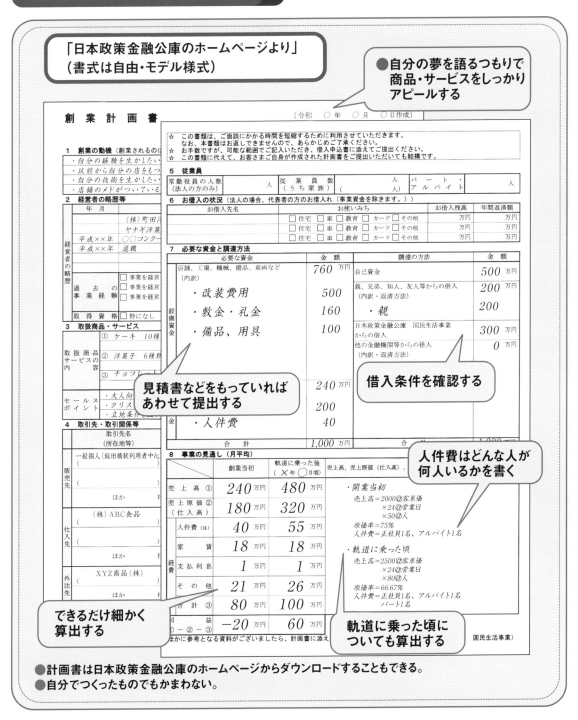

「日本政策金融公庫のホームページより」
（書式は自由・モデル様式）

● 自分の夢を語るつもりで商品・サービスをしっかりアピールする

創 業 計 画 書

〔令和 ○ 年 ○ 月 ○ 日作成〕

☆ この書類は、ご面談にかかる時間を短縮するために利用させていただきます。
なお、本書類はお返しできませんので、あらかじめご了承ください。
☆ お手数ですが、可能な範囲でご記入いただき、借入申込書に添えてご提出ください。
☆ この書類に代えて、お客さまご自身が作成された計画書をご提出いただいても結構です。

1 創業の動機（創業されるのは）
・自分の経験を生かしたい
・以前から自分の店をもつ
・自分の技術を生かしたい
・店舗のメドがついている

2 経営者の略歴等

	年 月	
経営者の略歴		（株）町田洋　ヤナギ洋菓子
	平成××年	○○コンクー
	平成××年	退職
過去の事業経験		□事業を経営　□事業を経営　□事業を経営
取得資格		□特になし

3 取扱商品・サービス

取扱商品サービスの内容	① ケーキ 10種
	② 洋菓子 6種類
	③ チョコレ
セールスポイント	・大人向　・クリス　・立地条件

見積書などをもっていればあわせて提出する

4 取引先・取引関係等

	取引先名（所在地等）	
販売先	一般個人（飯田橋駅利用者中心）（　　）（　　）	ほか
仕入先	（株）ABC食品（　　）	ほか
外注先	XYZ商品（株）	ほか

できるだけ細かく算出する

5 従業員

常勤役員の人数（法人の方のみ）	人	従業員数（うち家族）	人（　人）	パート・アルバイト	人

6 お借入の状況（法人の場合、代表者の方のお借入れ（事業資金を除きます。））

お借入先名	お使いみち	お借入残高	年間返済額
	□住宅 □車 □教育 □カード □その他	万円	万円
	□住宅 □車 □教育 □カード □その他	万円	万円
	□住宅 □車 □教育 □カード □その他	万円	万円

借入条件を確認する

7 必要な資金と調達方法

必要な資金	金額	調達の方法	金額
店舗、工場、機械、備品、車両など（内訳）	760 万円	自己資金	500 万円
・改装費用	500	親、兄弟、知人、友人等からの借入（内訳・返済方法）	200 万円
・敷金・礼金	160	・親	200
・備品、用具	100	日本政策金融公庫 国民生活事業からの借入	300 万円
		他の金融機関等からの借入（内訳・返済方法）	0 万円
	240 万円		
	200		
・人件費	40		
合計	1,000 万円	合計	1,000

8 事業の見通し（月平均）

	創業当初	軌道に乗った後（×年○月頃）	売上高、売上原価（仕入高）、
売上高 ①	240 万円	480 万円	・開業当初　売上高＝2000@客単価　×24@営業日　×50@人　原価率＝75%　人件費＝正社員1名、アルバイト1名
売上原価②（仕入高）	180 万円	320 万円	
人件費（注）	40 万円	55 万円	
家賃	18 万円	18 万円	・軌道に乗った頃　売上高＝2500@客単価　×24@営業日　×80@人　原価率＝66.67%　人件費＝正社員1名、アルバイト1名　パート1名
支払利息	1 万円	1 万円	
その他	21 万円	26 万円	
合計 ③	80 万円	100 万円	
利益①-②-③	−20 万円	60 万円	

ほかに参考となる資料がございましたら、計画書に添え

（国民生活事業）

人件費はどんな人が何人いるかを書く

軌道に乗った頃についても算出する

● 計画書は日本政策金融公庫のホームページからダウンロードすることもできる。
● 自分でつくったものでもかまわない。

MEMO　個人事業者には、大手都市銀行より信用金庫の利用がいいと一般にいわれています。信用金庫は規模の小さい事業者との取引が多く、対応もよいのが特徴です。

[カードローン・消費者金融の利用]

カードローンや消費者金融は金利が高い

カードローンなら手軽にお金が借りられます。
ただし、利用の際には注意が必要です。

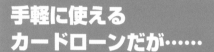

手軽に使えるカードローンだが……

公的な融資や銀行融資は、それなりの審査や手続きが必要です。それに比べてカードローンや消費者金融などは、手軽に利用することができます。

ただし、これらの金利は、公的融資や銀行融資に比べかなり高めになっています。銀行系の消費者金融は、銀行内に窓口を置いたり、広告を出したりして顧客の拡大をはかっています。「銀行系列だから安心だろう」と手軽に借りると**金利の高さにびっくりする**ことがあります。

カードの機能を確認する

最近はカードが氾濫し、いろいろな機能がついたカードも増えています。中でもキャッシングといってすぐにお金をATMから借りられるカードがあります。

しかし同じように手軽にお金が引き出せるカードでも、内容にはずいぶん違いがあります（→次ページ）。

個人事業者に対する審査は厳しい

個人事業者になったとたん痛感させられることがあります。**クレジットカードがつくれなくなる**のです。百貨店の会員カードでもクレジット機能付のものだと審査に通らないことが多いようです。

毎月定期的に給与が入ってくる会社員と違い「個人事業者は収入が不安定になるため、金融機関の審査に通りにくい」という構図です。会社員時代に加入したクレジットカードを大事にしましょう。

個人事業者であっても、事業を何年も続けて成果をあげていれば、上記のような問題はなくなります。

check

☑ **カードローンは手軽だが、金利が高いので慎重に。**

☑ **銀行系のカードローンでも、消費者金融にかわりはない。**

☑ **個人事業者はクレジット審査に通らないことが多い。**

MEMO カードローンは、手軽なため、安易に借り入れをしてしまいがちです。一時的な借り入れにとどめ、資金の調達ができたら、最優先で返済しましょう。

カードローンや消費者金融は金利が高い

融資の種類

■総合預金の自動貸付
- 銀行の総合口座をもっていると、普通預金の残高がなくても定期預金の預け入れがあれば、カードで定期預金の9割程度まで現金を引き出すことができる。
- 金利は、定期預金の金利＋α。
- 返済もATMから行うことができる。

■カードローン
- 申込時に利用限度額を決めて、いつでもキャッシュディスペンサー、ATMからカードで借入・返済することが可能なローン。
- サービスによって異なるが、〔申し込み→審査（本人確認書類の提出等）→融資〕という流れが一般的。
- 手軽に申し込んで現金を引き出すことができるが、金利が高い。

  例：○○カードローンサービス

  返済は毎月一定の元利均等返済

  利用可能枠内で何度でも利用可能

  臨時の返済は銀行、コンビニのATMで可能

  年利率　1.5％〜18％　※20％が上限

  利用限度額　10万円〜1,200万円

■クレジットカードキャッシング機能
- クレジットカードに付帯されている機能により、ATMなどから手軽に現金を引き出せる。
- クレジットカードをつくるときにキャッシング限度額が定められ、その範囲内であれば、いつでも自由に借りられる。

  例：○○カードキャッシングサービス

  元利一括返済（クレジット口座より引落し）またはリボ払い

  年利率　7.8％〜18％　※20％が上限

COLUMN

貸付自粛制度

　浪費の習癖があることやギャンブル等依存症で多重債務のおそれがある場合に、日本貸金業協会または全国銀行個人信用情報センターのどちらかへ申告することで、新たな資金を借り入れられないようにすることができる「貸付自粛制度」があります。

カードローンは最後の最後の手段と考えましょう。まずは資金繰りをしっかりすることです。どうしても融資が必要になったら、公的融資からの利用を検討します。

著者の経験談から④
個人事業の拠点の選び方

◆はじめは自宅での開業を考えたが

　私が個人事業をはじめた当初は、初期費用を抑えられること、効率的に時間を活用できることなどを考え、自宅での開業を決めました。しかし、実際には事業の拠点を変えていくことになりました。

　ただ、その時点で自分の住んでいる場所が、個人事業を運営するのに向いているのかどうかを意識していたわけではありません。しかし、事業をはじめてみると実際には自分の住んでいる地域が自分の事業展開に向いていないことがわかってきました。

　都心から数十キロ離れた立地にある自宅は、住むには便利で観光客も多く訪れる都会的な地域でした。しかし、自分の顧客となる会社の数は東京に比べると格段に少なく、またもともと居住地の出身ではないことで仕事につながる知り合いがそんなに多いわけではありませんでした。

　開業する前、サラリーマンだった私の仕事の拠点は東京にあったので、知り合いといえば、やはり東京を中心にした関係が多かったのです。

　そこで作業の拠点は自宅としたまま、事業のターゲットを東京へ移す決心をしました。東京にはターゲットになる企業がたくさんあり、経験年数に関係なく、きちんと仕事をしてくれればOKという会社もあるだろうと考えたからです。そんな会社が1％でもあれば、会社の数の多い東京では、今より効率よく仕事が取れ、往復の交通費、時間を考えても効果が高いと判断したのです。

　はじめは知り合いの会社のオフィスの一角に机を置かせてもらうことから東京への足掛かりをつかみました。結果的には東京に拠点をおいたことで仕事が徐々に増えていくことになりました。

◆コロナで一変したビジネス環境への対応

　東京を拠点にしていたビジネスモデルですが、数年前のコロナにより日本全体のビジネス環境が大きく変わりました。当初はオンラインの打ち合わせなどとまどうことも多かったですが、今では自社も含めお客様もオンラインの環境にすっかり慣れて、どこにいても打ち合わせができたり、お客様の相談に応じたりすることができるようになりました。私が開業当初検討したことはあまり意味を持たなくなってきているのかもしれません。

　しかし、やはりお客様の信用を得、いずれは従業員も雇用することなどを考えれば、一定の場所に拠点があることは重要だと思います。

　オンラインでのビジネス展開も含めて、利便性、コストなどをじっくり考慮して最適の場所に拠点を構えていくことが事業の発展につながると思います。

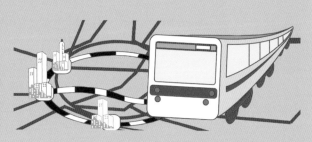

第5章

個人事業の
開始をより現実的にする

最も重要なのは事業ビジョン……138

事業ビジョンからサクセスストーリーを描く
……140

自分の特性を知り個人事業に生かす……142

シートを使って事業内容を検討する……144

チェック方式で事業内容を確認する……146

事業計画書で事業内容を具体化する……148

事業概要シートを使って基本方針を検討する
……150

事業戦略シートを使って判断する……152

必要なお金を事業開始時に見積もる……154

収支計画シートを活用する……156

［個人事業開始前のチェック］
最も重要なのは
事業ビジョン

個人事業をはじめる前に経済的に心配のない
事業ビジョンを検討します。

すべての基本となる 事業ビジョンを検討する

　個人事業をはじめるまでにすることはたくさんあります。

　どれも大事なことですが、中でも「何を」「どのように」やりたいかという**事業ビジョンを検討する**ことが最もたいせつです。

　すべての骨格となる事業ビジョンを質のよいたくさんの情報と自分の考えから具体的にイメージし、図や文章に表してみましょう（→詳しくは次ページ以降）。

ライフプランを確認する

　次に、自分で想定した事業ビジョンで「生活していけるか？」を確認します。それには、自分のライフプラン、生活設計を確認する必要があります（→詳しくは第6章）。

　個人事業は、個人で負う責任が多くなるため、ライフプランへの影響度も高くなります。事業ビジョンをもとにしたライフプランを「経済面」からもしっかり確認しておかなければなりません。

強い決心をもって 開始する

　「個人事業をはじめる」という強い決心を自分の中でしておくことがたいせつです。

　事業をはじめると、不安をたくさん抱えることになります。そんな不安の中でやりぬくには、事業ビジョンをしっかり確認しておくことです。そして、精神面だけでなく、**客観的に自分の現状のデータを把握**し、経済面、ライフプランなどの面から分析し、決心することをおすすめします。

　ほかにも開業準備や退職準備など、検討しなければならないことが山ほど待っています。

　どのようなことをしなければならないかを事前に把握しておきましょう（→次ページ）。

check

☑ **「何を」「どのように」やりたいかという事業ビジョンを明確にする。**

☑ **ライフプランを経済面から確認する。**

☑ **強い決心のもと、事業ビジョンに基づいた事業を開始する。**

MEMO 　会社をやめるための準備として、やめた後の社会保険（→46〜49ページ）や税金（→52〜53ページ）などの手続きを事前に把握しておきましょう。

最も重要なのは事業ビジョン

個人事業開始前から個人事業開始後のチェック表（一般的な例）

《開始前》

- 事業ビジョンを検討する
- 個人事業のメリット・デメリットを理解する
- ライフプラン・キャリアプラン・家族への影響を把握する
- 事業開始の意志を検討・決定する
- 具体的な事業計画を検討する
- 事業計画に基づいた開業準備をはじめる
- 退職準備をする
- 事業スタイルを検討・決定する
- 開業資金計画を検討・決定する
- 収支計画に基づいて設備などを検討・決定する
- 拠点を検討・決定する
  （自宅・事務所・店舗の選定・決定）
- 融資の必要性を検討・決定する
  （融資方法の検討・決定）
- 行政への手続きを確認し対応する
  （税務署・許認可・その他）
- 商品の確保手段を確認し決定する

《開始後》

- 引越しをする
- 事業開始の発表・案内をする
- 販売計画を検討・決定する
  （商品案内の作成・配布、販売先、マーケットの調査・情報収集、販売戦略の検討・決定、価格の検討）
- 仕入をする
- 営業をする
  （営業の実行）
- 販売をする
  （契約書の作成・請求書の発行）
- サービスを提供（役務の提供）する
- 経理をする
  （入金・受領確認、領収書の発行、仕入先への支払い、その他支払い、利益の確認、帳簿の作成）
- 結果を確認する
  （売上、経費、利益）
- 計画と結果の相違の原因を分析する
- 次の計画を立てる

《その他》

- 規模を拡大する
- 従業員を雇用する
- 運転資金を確保する　　ほか

MEMO

個人事業をはじめるということは具体的にどんなことをするのかイメージをつかんでおくことがたいせつです。思いのほかやること、考えることが多いことに気がつくはずです。

事業ビジョンから
サクセスストーリーを描く

ここでは、サクセスストーリーをイメージします。
文字として表現することが大事です。

事業計画書

事業ビジョンを
イメージし文字に表す

　個人事業をはじめることを現実的なものにするために、事業ビジョンをしっかりイメージしていきます。そのためには事業をはじめる動機、目的、目標を確認しておくことです。

動機：なぜ個人事業をはじめるのか
目的：事業をはじめて何をしたいのか
目標：事業をすることでどうなりたいのか

　これら3つについて次ページに実際に記入してみましょう。これから事業内容など、細かいことをいろいろと考えていくうちに事業をはじめる動機や目的、目標を見失ってしまわないよう、しっかり**文字に表しておくことがポイント**となります。

必ずサクセスストーリー
を描く

　「私のサクセスストーリー」の欄には、自分がイメージした事業ビジョンでどんな人生を送りたいかを文字で表してください。ここに書くのは、事業をはじめて**幸せになるためのサクセスストーリー**です。成功しないストー

リーを描くことに意味はありません。

　このサクセスストーリーを描くことで自分の人生における「事業をする」ということの位置づけをしっかり意識してください。

　「事業をする」ということは自分の人生の中の大きなイベントです。そして、大変でたいせつなイベントです。

　だからといって、事業が人生すべてというわけではありません。「事業は成功したのに自分の人生を振り返ったときに寂しかった」ということがないように。

　自分の生き方と事業は切り離せません。だからこそ、ここで改めて事業をはじめてどんな人生を送りたいかというサクセスストーリーを描くことに意味があるのです。そして次に、具体的な行動である事業プランの検討へと進んでいくのです。

check

☑ **事業をはじめる動機、目的、目標をしっかり確認しておく。**

☑ **サクセスストーリーを描き、文字にする。**

☑ **サクセスストーリーを描くことで人生における事業の位置づけを確認する。**

MEMO　サクセスストーリーは、幸せになるための成功のストーリーです。たとえ、夢のようなストーリーでも、成功の夢を描くことで、夢に一歩近づくことになります。

事業ビジョンからサクセスストーリーを描く

事業ビジョンを描く

Q なぜ事業をはじめるのか？
（事業開始の動機）

A 商売・経営をしたい。

Q 何をしたいのか？
（事業の目的）

A 儲けたい、人に喜ばれることをしたい。

Q 事業をはじめて、
どうなりたいのか？
（事業の目標）

A 爆発的な売上をあげる。
売上をあげるためのしくみをつくる。

Q 事業をはじめて、
どんな人生を送りたいのか？
（自分の人生における事業の位置づけ）

A 生涯現役。自分のやりたいことをやった成果としての報酬で悠々自適の生活を送る。

※ A はあくまでも一例。例を参考に記入してみよう。

私のサクセスストーリー

どんな仕事・事業をして
どのくらい儲けて
将来はどうなりたい？
●大会社にする
●有名人になる
●お金持になる　・・・etc.

MEMO　幸せの形は人それぞれですが、ここでは事業を成功させて幸せになるためのビジョンをしっかりと描きましょう。

[自分の資源の確認]

自分の特性を知り 個人事業に生かす

一度自分を客観的に見つめてみることがたいせつです。
自分の資源（能力）として何があるかを整理してみましょう。

事業計画書

自分を 見つめなおしてみる

個人事業をはじめるにあたり考えた事業ビジョンをもとに、次のステップ「事業内容の検討」に進みます。ただ、その前に、「自分を見つめる」という作業を行ってみましょう。

個人事業は基本的に「個人」が事業をするのですから、その「個人」がどのような特徴、能力をもっているかは事業に大きな影響を与えます。

事業を成功させるためには、**自分を客観的に見つめ、自分を知る**ことがたいせつです。

自分の能力・もっている 資源を書いてみる

次のページのシートを参考に自分のもっている能力や資源などを書き出してみましょう。次の6つの項目に分けて考えてみると、個人事業へ生かすものを見つけやすくなります。

- ●特徴
- ●長所
- ●能力
- ●人脈
- ●健康
- ●資格・技術

書き方にはあまりこだわらず、自分を客観的に見つめることに重点をおいて書いてみましょう。

客観的に自分が生かしたい、 活用したい能力を意識する

シートに書き終わったら読み返してみましょう。シートを見ながら、事業をする際に自分が「生かしたい」「活用したい」「活用できる」性格や能力などを経営資源としてピックアップします。

事業内容を検討するときには、自分でピックアップした**経営資源をどのように活用すればいいか**を考えながら検討していきます。

check

☑ **自分を見つめるという作業を行う。**

☑ **自分のもっている経営資源を書き出してみる。**

☑ **必ず読み返し、活用方法を検討する。**

MEMO 一般的に経営資源というと「ヒト」「モノ」「カネ」ですが、個人事業の場合は自分自身が経営資源になります。

自分の資源の確認（例）

《特徴》

- どんなところが自分の特徴ですか？
- 他人に「自分はどんな人間か」を端的に伝えるとしたら、何といいますか？

《長所》

- 自分のいいところはなんですか？
- 人からどんなところをほめられますか？

《能力》

- 自分の能力のうち優れた能力は何ですか？
- ＊ 自分が好ましいと思う能力だけでなく、自分自身では好きではない能力でもかまわない。

《人脈》

- 自分を取り巻く人たちにはどんな関係の人たちがいますか？
- ＊ 仕事関係の人脈だけでなく生活や趣味を通じた人脈も含む。

《健康》

- 健康状態に問題はありませんか？
- ＊ 心配な点だけでなく、自信があることも記載する。

《資格・技術》

- どんな資格や技術をもっていますか？
- ＊ 仕事に関係のない資格や技術・能力についても書く。

《適性（自分が生かしたい、活用したい性格や能力）》

例：

- 人あたりがよい
- よく相談される
- ねばり強い

- 秘書検定（ビジネスマナー）
- 調理師免許
- 異性の友達が多い

※思いつくことを、できるだけたくさん書く。
※「聞き上手といわれる」「魚をさばける」など、仕事とあまり関係がないと思われるようなこともどんどん記入する。

自分でたくさん書き出した後に、さらに家族や友人にも聞いてみましょう。改めて聞いてみると思わぬ能力や特徴が発見されるものです。

[事業内容の検討①]
シートを使って
事業内容を検討する

自分のタイプを知った上で、事業プランシートを使い
事業内容を検討します。シートを完成させましょう。

タイプによって検討する
ポイントは異なる

　自分がイメージするサクセスストーリーや
事業の目的、目標を実現するために**事業プラ
ンシートを使って事業の内容を検討します。**

　事業をはじめる動機のタイプ別に、検討す
るポイントを見ていきます。

◆夢実現タイプ

　このタイプは、すでにやりたい仕事＝事業
の種類を決めています。そこで、この仕事が
事業として成り立つか、どのくらい儲かるの
かを考えます。

　やりたい仕事が決まっていると、つい自分
のいいように考えやすいので、このシートを
使って客観的に事実を見つめてください。

●この仕事を必要とする顧客はいるのか、ど
　のくらいいるのか
●この仕事は、ほかの類似の商品やサービス
　に比べて優位性があって魅力的か
●この仕事は、ボランティアではなく生活で
　きる以上の収益を生み出すのか
●この仕事を続けていくと、自分が描いたサ
　クセスストーリーを実現できるのか

　そして、順次、販売方法や事業の開始時期
などをシートに記入していきます。

◆商売・経営タイプ

　このタイプは、収益性、採算性、将来性な
どを常に意識しています。しかし、どんな事
業をするかアイディアやイメージがあまりで
きていない場合は、今までの経験や知識、能
力、情報、人脈などを参考に、まず次の3つに
ついて決めます。次に、考えた事業の種類が
魅力的な事業なのかを確認していきます。

●どんな業種にするか（飲食業、サービス業
　など）
●どんな業態にするか、事業の特徴は（事業・
　営業の形態……通信販売、店舗販売、中高
　年向け事業、企業向け事業など）
●どんな商品・サービスにするか

check

☑ **16ページのチャートから、
　自分のタイプを確認する。**

☑ **夢実現タイプは客観的に
　事実を見つめる。**

☑ **商売・経営タイプは、
　儲かる事業は何かを考える。**

WORD **業種と業態**（ぎょうしゅ ぎょうたい）　業種とはどんな事業を営むかという事業の種類です。それに対し業態とは
どんなやり方で事業を運営するかという形態をいいます。

事業プランシート（例）

> **宅配惣菜店を立ち上げる**

事業の種類 提供する商品・サービスは？	●惣菜宅配業
商品・サービス	●和の食材を中心とし、簡単に調理ができるセミオーダーの惣菜宅配
事業の特徴	●前職の健康食品会社での開発経験を生かす
アイディア・優位性・独自性	●宅配に特化した店である ●健康志向の味・品揃えとする ●契約農家などをもち、有機・無農薬野菜など健康に配慮する ●調味料にもこだわる
事業のマーケット／ターゲット 顧客・市場は？	●20〜40代の主婦層、単身者 ●勤務している女性 ●高齢者
利益・採算性 どのくらい儲かるか？ 価格は？　原価は？	●店舗をもたないので固定費を低くおさえられる ●高所得世帯をターゲットとするので、1件あたりの売上が大きい
将来性 （この仕事で将来どうなる）	●働く女性が増加しており健康にも関心が高い ●将来的に需要の増加が見込まれる
資金 （開業に必要なお金）	●1,000万円程度
展開時期	●1年後　5月から開始
拠点	●神奈川県　横浜市近郊
販売方法・営業方法	●店舗をもたず、宅配タイプの販売方法 ●バーチャル店舗としてネットを活用し販売 ●バーチャル店舗は手軽さ、活用しやすさを優先 　携帯・スマホからアクセス可能 　惣菜プラン等DMポスティングへの返信で手軽に申込み ●妻の身近な交友関係を使って、口コミによる販売 ●保育園等で働く女性のネットワークを活用した販売

151ページ　事業概要シート：事業内容へ

事業概要シート：特徴へ

事業概要シート：事業内容へ

155ページ　開業資金計画シートへ
157ページ　収支計画シートへ

事業概要シート：将来のイメージ・方向性

開業資金計画シートへ

事業概要シート：具体的な手段へ

WORD　**優位性**（ゆういせい）　他の人や他の会社よりも優れた特長をもった商品やサービスを保持していることをいいます。その他、他人よりも先行していることや、優れた立地条件をもっていることなども含まれます。

チェック方式で
事業内容を確認する

事業計画書

これからはじめようとしている事業が魅力ある事業か
どうかを、さまざまな角度から確認します。

チェック項目

《優位性・独自性のある事業》

- 類似の商品より優位になれる特徴の
ある商品・サービスか？
- 類似の事業より販売方法などに
優位性があるか？
- ほかにはない特徴をもった商品・
サービスか？
- ほかにはない独自の販売方法などが
あるか？

《利益・採算性の高い事業》

- 利益率の高い商品・サービスか？
- 原価率の低い商品・サービスか？
- 価格競争の可能性は低いか？

利益 大
価格競争 少
低コスト OK

《市場性のある事業》

- マーケットは大きいか？
買い手はたくさんいるか？
- 参入するにあたり業界の特徴はあるか？
- 同業他社の参入が少ないか？
- 同業他社が参入しにくいか？

《将来性のある事業》

- 優位性・独自性は将来的にも
確保されやすいか？
- 市場は今後大きくなる
見込みがあるか？
- 市場に他社の参入が予想されるか？
- 需要が増えるなどの理由で
価格アップの可能性があるか？
- 原価、仕入価格が下がる
可能性はあるか？

 WORD　**原価率**（げんかりつ）　商品やサービスの販売に関し、それにかかる仕入や外注費の率のことです。原価率が低いほうが利益率が高くなります。

さまざまな角度から事業内容を確認する

どんな事業をはじめるかを検討する場合、これからやろうと思う事業について、さまざまな角度から魅力がある事業かどうかを確認していきます。

前ページのチェック項目を参考に魅力を確認し、事業内容を修正します。

はじめる事業が決まってきたら、もう一度141ページの事業ビジョンとマッチしているか、自分がイメージしたサクセスストーリーのようになることができるかを確認します。夢中で考えた結果、**当初のビジョンとずれるようなことのないように**注意してください。

そして、もう1つ。143ページで見つめた自分自身がもっている経営資源を生かしているかを確認します。

個人事業は個人の能力などに大きく左右されます。能力を最大限に活用して事業を行っていくことがたいせつです。

どんな事業にするか

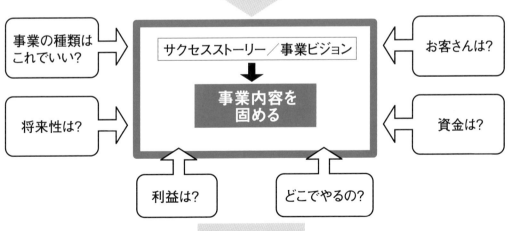

サクセスストーリー

どんな仕事をして…、どのくらい儲かるか…?
いつ頃から事業がうまくいって
将来はどんな感じになっているか、大会社? 有名人? 大金持ち?

もう少し現実的なものとしてとらえる

事業の種類はこれでいい?	サクセスストーリー／事業ビジョン	お客さんは?
	事業内容を固める	
将来性は?		資金は?
	利益は? どこでやるの?	

そして夢を現実のものへ

WORD

価格競争（かかくきょうそう）　商品やサービスにあまり特長がない場合、他社はその市場に参入しやすくなります。そうなると価格を下げないと売れないという状況に陥ってしまいます。

［事業計画書の意味］

事業計画書で事業内容を具体化する

事業内容をさらに具体化するために、手順に従って
事業計画書を作成します。

事業計画書

事業プランを具体化する事業計画

事業計画では、事業ビジョン、事業プランにそって基本方針を決め、事業戦略と資金計画を検討、決定していきます。具体的にシートを使って考えをまとめてみましょう。

事業内容は事業概要シート（→151ページ）の作成を通じ、経営・事業理念、方向性、特徴、事業内容、目標、問題点を検討、決定していきます。そして、この事業計画を現実の行動へと移します。

事業計画書の用途はさまざま

事業計画書は検討した事業計画を文書に表したものです。特に書き方や内容について決まりがあるわけではありません。事業計画書は、本来、**自分が事業を行うために作成する**ものです。

しかし、資金調達をしたり、協力者を募ったりする場合に、自分の事業を人に伝え、理解してもらうためのものでもあります。**事業計画書にはいろいろな使い道がある**のです。

事業計画書は用途によって書き方が変わる

使い道によって事業計画書の書き方は違ってきます。自分自身のために書く場合は、自分が見やすく、わかりやすい形にします。

一方、他の人に見せる場合は、注意が必要です。事業計画書を見せる理由・相手により、訴えるべき点や理解してもらいたい状況が変わってくるからです。

相手に自分の事業がいかに魅力的かをわかってもらうためには、自分の思いや考えだけでなく、客観的な資料や事実、裏づけなどを適宜入れ、**図や表を使って、簡潔にポイントをわかりやすく書く**ことがよりたいせつになってきます。

check

✓ 事業計画書には、事業内容と資金計画を盛り込む。

✓ 事業計画書の書き方は、見せる相手によって変わる。

✓ 相手を説得できる事業計画書を書く。

WORD

経営・事業理念（けいえい・じぎょうりねん）　事業を行っていく上での憲法のようなものです。事業がどんなに発展しても揺らぐことのない経営方針をいいます。

事業計画書で事業内容を具体化する

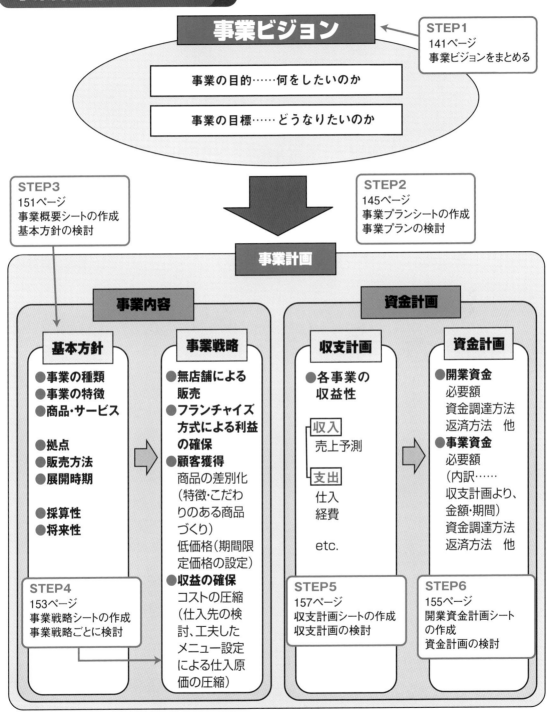

事業計画書作成の手順

…STEPにそったシートを活用し事業計画を作成していきましょう

事業ビジョン

STEP1
141ページ
事業ビジョンをまとめる

事業の目的……何をしたいのか

事業の目標……どうなりたいのか

STEP3
151ページ
事業概要シートの作成
基本方針の検討

STEP2
145ページ
事業プランシートの作成
事業プランの検討

事業計画

事業内容

資金計画

基本方針
●事業の種類
●事業の特徴
●商品・サービス

●拠点
●販売方法
●展開時期

●採算性
●将来性

事業戦略
●無店舗による販売
●フランチャイズ方式による利益の確保
●顧客獲得
商品の差別化（特徴・こだわりのある商品づくり）
低価格（期間限定価格の設定）
●収益の確保
コストの圧縮（仕入先の検討、工夫したメニュー設定による仕入原価の圧縮）

収支計画
●各事業の収益性

収入
売上予測

支出
仕入
経費

etc.

資金計画
●開業資金
必要額
資金調達方法
返済方法　他
●事業資金
必要額
（内訳……収支計画より、金額・期間）
資金調達方法
返済方法　他

STEP4
153ページ
事業戦略シートの作成
事業戦略ごとに検討

STEP5
157ページ
収支計画シートの作成
収支計画の検討

STEP6
155ページ
開業資金計画シートの作成
資金計画の検討

MEMO 各STEPに従い、各シートで検討したものをまとめると事業計画書ができあがります。

事業概要シートを使って基本方針を検討する

事業概要シートを使って事業の基本方針を検討します。
いろいろな問題点を今のうちに洗い出しておきましょう。

事業概要シートから事業計画の基本方針を検討する

　事業概要シート（→次ページ）を使って基本方針を検討していきます。すでに検討、作成してきた事業ビジョン（→141ページ）や事業プランシート（→145ページ）とともに基本方針を考えていきます。

●経営・事業理念

　自分が描いた事業ビジョンの事業の目的や目標をもとに、どのような考え、コンセプトをもって事業を進めていくかを考えます。

●事業内容

　提供する商品やサービス、市場・マーケット、顧客・ターゲット、そして収益性・採算性について考えます。

●特徴

　商品・サービス、営業方法、事業展開などについて、それぞれ事業の特徴となるものを考えます。

●目標

　目標は直近1年、3年、5〜10年に分けて「何を」「どのようにしたい」のかを考えます。

●具体的な手段

　直近1年の目標に対して、目標達成のための具体的な手段、方法を検討します。目標達成のための具体的な手段をできるだけたくさん考えましょう。

　どのように考えたらいいのか、また、詳しい手段については152ページの事業戦略を参照してください。

●将来のイメージ・方向性

　事業の目的や目標にそった将来のイメージや方向性を考えます。利益の拡大を狙う、規模の拡大、品質の向上、お客様に喜ばれるなど、どんな言葉で表してもかまいません。

●考えられる課題・問題点

　最後にこの事業をはじめた場合に想定できる課題や問題点を考えておきます。課題や問題点がないことはありえません。「うまくいけば……」と考えるときに、うまくいかないとしたら何が理由かなどを考えます。

check

☑ 事業プランシートから事業のイメージを明確にする。

☑ 事業の成功へつながる特徴をしっかり考える。

☑ 目標を立て、実現のための具体的な手段を考える。

MEMO　事業概要、事業計画には見直しがつきものです。考えに行き詰まったら、先に進んでください。すべてを考えなくてもよい場合があります。流れにそって考えることがたいせつです。

事業概要シート

経営・事業理念（事業に対するコンセプト・ポリシー）

- おいしい商品をお客さんに提供する
- 食べた人がみんな健康になるような食を提供する
- 宅配のしくみを確立し、たくさんのお客さんに利用してもらえるようにする
- 売上が持続し、また伸びていくような事業にする

事業内容

- **商品・サービス**
  - お客さんの健康を考えた食品を宅配で提供する
- **顧客・ターゲット**
  - 働く主婦や単身者、高齢者
- **収益性・採算性**
  - 宅配にして、店舗をもたず、固定費をおさえる

特徴

- お客さんのニーズにあった形で商品を提供する
- 健康を意識した食材をもとに体にやさしい商品を販売する

目標

直近1年	3年	5〜10年
●お客さんをつかんで離さない営業方法を確立する ●品質にムラのない商品を販売する ●多くの人にサービスを知ってもらう	●リピーターを増やし、売上を安定させる ●収益が出る宅配のしくみを確立する	●高価格帯の商品展開で売上を伸ばす ●フランチャイズ化に向けよい人材を育てる

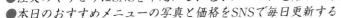

具体的な手段

- 注文のやりとりはSNSを中心にし、電子メール、電話なども使用する
- 本日のおすすめメニューの写真と価格をSNSで毎日更新する
- リピーター率を上げるため会員制度を設ける
- 宣伝にはクチコミやホームページを活用する

詳しくは153ページの事業戦略シートへ

将来のイメージ・方向性

- ブランド価値のある商品を販売していく
- 健康志向とお客さんのニーズにあわせ、高所得者層を狙い収益をあげる事業にする

考えられる課題・問題点

- **資金面** 親からの援助などがないが、自己資産だけで賄えるか？ 借り入れが必要となるか？
- **計画面** オーダーから宅配までのしくみについて個人で整えられるか？
人員増加などの調整が必要となるか？
- **協力面** 妻の人脈は主婦グループの宣伝に活用できるか？
現在の取引先を使ってどの程度コストをおさえた仕入ができるか？
- **その他** どのような場所に拠点を構えればよいか？ 販売するのに適した地域は？

MEMO 事業は予定どおりにいかないのが普通です。また、経済や市場の様子や自分を取り巻くさまざまな環境によって必ず見直しが必要になってきます。

［事業戦略］
事業戦略シート
を使って判断する

事業戦略シートをもとに実行するかどうかを判断します。
勝算があるなら実行に移しましょう。

事業計画書

アイディアを事業へ
つなげる

「目標達成のための具体的な手段」を詳細に検討していくために、事業戦略シートを使います。「どうやって事業を進めていくか」の「どうやって」の部分が事業戦略ということになります。

事業をはじめるとき、いろいろなアイディアを考えているはずです。

アイディアを事業として成り立たせるためにも「どうやって」事業を進めていくのかを考えてみます。

●市場のニーズ

事業目標や手段が決まったら、事業内容や手段が市場のニーズにマッチしているかを検討します。

市場のニーズを確認するためには、市場調査が必要です。市場調査をすることで、まちがいのない計画だったのか、自分の思い込みだったのかがわかってくるはずです。

●問題点・課題

手段や目標に何の問題点もないということはないはずです。逆に何の問題点もないと判断するのは市場調査や分析が足りないせいか

もしれません。

考えられる問題点がどれだけ大きいのか、解決方法があるのか、問題が起こる理由は何なのかなど、問題の洗い出し、対応方法を考えておくことが必要です。

●将来性

事業では、常に将来を見据えておかなくてはなりません。その際、その事業はどのぐらいの期間行うのが適切なのかを判断することもたいせつです。

それぞれの事業内容と事業内容を実践する手段の将来性を予測し、それに応じて次の事業や手段を考える必要が出てきます。

●決断をする

ここまで具体的に考えてみると、この事業でやっていけるかがわかってくると思います。その上で、実行に移すかどうかを判断しましょう。

check

☑ 事業内容を詳しく考えてから決断する。

☑ 市場のニーズをとらえているかを確認してから決断する。

☑ 問題点・課題をとらえてみてから決断する。

MEMO 市場調査を専門の調査会社に依頼するという方法もあります。しかし、自分の足を使って市場調査をすると、報告書には表れない感覚的なものがわかるだけでなく、お金もかかりません。

事業戦略シートを使って判断する

事業戦略シート

それぞれの個別の事業戦略ごとに表を作成する

事業名	健康をつくるお惣菜宅配

事業内容

商品・サービス	●和の食材を中心 ●宅配のみ（店舗なし）
メニュー（種類）	●簡単に調理ができるセミオーダーの惣菜
顧客層（ターゲット）	●働く20〜40代の主婦（高所得者層） ●男女単身者 ●高齢者
特徴・優位性	●おいしく健康によいものに特化することで、高価格の商品で利益をあげられる
収益性・採算性	●店舗をもたないので固定費が低くおさえられる
価格	●商品単価800〜1,500円程度の価格帯
原価	●30〜40％の原価を見込む
仕入	●契約農家を中心として材料を仕入れる
営業方法・販売方法	●基本的に電子メール、電話を使ったオーダーサービスにする ●産地などの情報を盛り込んだホームページの広告でPR ●会員割引制度を設け、リピート率を上げる ●口コミでの宣伝効果を狙うため主婦グループへの宣伝をする（チラシ配布など） ●期間限定商品、セールなどを実施し集客力を上げる
商品・サービスの製作・加工方法	●真空パックでの加工や、電子レンジで手軽に食べられるような形態の商品とする ●見た目の美しさを重視したパッケージデザインとする

市場のニーズ	具体的な問題点・課題	事業の将来性
●働く20〜40代の主婦 ●男女単身者 ●高齢者 　いずれも買い物にいく時間がない、または買いにいけない人が増加している	●すべてのお客さんに対して、必要な時間に商品が提供できるか？ ●商品の宅配までの流通コストをどの程度までおさえることができるか？	●健康を意識する傾向が高まっている ●高価格帯でもおいしく、特徴ある商品であれば売れる商品となる ●金銭的に余裕のある高年齢者のニーズも増加するであろう

実行に値するか判断する

勝算があるなら次の計画を実行

MEMO　個別の事業ごとの詳細な戦略は必要不可欠です。これをシートにすることにより、問題点や課題が浮き彫りになり、その事業に採算性があるのかどうかが明らかになります。

153

必要なお金を事業開始時に見積もる

お金の計画なしに事業は成り立ちません。
必要な金額を見積もり、お金を準備する計画を立てます。

事業計画書

事業計画にそって資金計画を考える

事業計画の基本方針が決まったら、次は、その計画を実行するために、**どのくらいのお金がかかるのか資金計画**を考えます。

開業時、そして事業をはじめてからどのくらいの費用がかかるのかを見積もり、必要なお金を準備する計画を立てるのです。

次のページにある開業資金計画シートを使って考えていきましょう。

設備資金と運転資金に分けて考える

資金計画では、設備資金と運転資金を分けて考えます。

◆設備資金

開業時の初期費用がどのくらいかかるかを見積もります。

◆運転資金

次に、運転資金がどのくらいかかるかを予想します。可能であれば、このとき、どのく

らいの売上や利益が見込めるかをあわせて予想してみましょう。

これにより、ある程度事業が軌道に乗るまでの期間を見越した運転資金を見積もることができます。

詳しくは、次のテーマの収支計画シートを使って収支を予想すると、運転資金を予測することができます。

生活費を足すことを忘れずに

必要な設備資金と運転資金がわかったら、**軌道に乗るまでの生活費を加算**します。これで開業時に必要な金額が決まりました。

この資金をどのように準備するかについては第4章で説明しています。

check

☑ 資金計画は事業開始時に必要なお金を見積もること。

☑ 事業開始時に必要なお金の見積もりは初期費用以外に軌道に乗るまでの運転資金も考える。

☑ 必要な資金に、軌道に乗るまでの生活費をプラスする。

MEMO　運転資金は、一般的に6か月分程度の費用を準備します。

必要なお金を事業開始時に見積もる

開業資金計画シート

単位（万円）

必要な資金		準備方法	
設備資金（初期費用）	計550	自己資金 〔166ページ参照〕	700
店舗・事務所費用	0	現預金（現金化できる株など	700
内装・外装費用	200	の有価証券を含む）	
設備・車両費用	250		
備品・事務用品	100	その他（すぐに現金化	0
その他	0	できないもの）	
運転資金（事業資金）	計280	他人からの資金 〔第4章参照〕	?
店舗・事務所の賃料	0	身内（友人・知人・親戚）	
仕入費用・原材料費	180	金融機関	
諸費用	90	公的資金 〔銀行から借り入れる？〕	
その他	10	その他（補助金・助成金等）	
生活費 〔6か月分程度を目安にする〕	250 6か月分	〔不足してしまう〕	
合計	計1,080	不足額	▲380

（軌道に乗るまでの期間分の準備が必要）

設備資金と運転資金

《設備資金》
■事務所、店舗確保に必要な資金
　敷金、礼金、保証金、前家賃　など
■内装・外装に必要な資金
　内装・外装工事費、電気通信工事費　など
■設備、車両購入などに必要な資金
　事務所の応接セット、机、いす、本棚、
　飲食店などのキッチンの設備、営業車など
　の購入　など
■備品、事務用品などに必要な資金
　パソコン、電話、FAX、コピー機、
　プリンター、事務用品　など

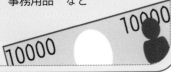

《運転資金》
■事務所・店舗の賃借料
■仕入費用・原材料費
■その他の諸費用
　●通信費、水道・光熱費　など
　●事務用品、消耗品（コピー用紙、プリンターのインク、筆記用具など）
　●研究・開発費（セミナー・研修受講料、書籍の購入費用など）
　●交通費（電車の運賃、ガソリン代、車の維持費など）
　●交際費・営業費（営業に必要な費用、会議費、飲食費など）

WORD 補助金と助成金（ほじょきん・じょせいきん）　国や地方自治体またはそれに準ずる機関などが行っている制度で、条件にあえば資金を受給できます。返済不要なものもあります。

収支計画シート
を活用する

事業をはじめるにあたり、収益の予想を立て、
軌道に乗るまでの収支の流れをつかみます。

2つの面から売上を予想し比較する

収支計画シートを作成しながら**収益の予想**をします。開業当初から1か月、3か月、6か月、その後は1年、3年ぐらいまでの売上と経費を予想します。開業当初と軌道に乗ってきた時期とで、予想は当然異なるはずです。

まず、事業をはじめる時点の収支計画では、経費の予想が大事です。これにより、売上の目標が見えてきます。次に、現時点で予想ができる売上を考え、経費から見た売上目標と調整をします。

赤字解消の時期を知る

収支計画シートの目的は、軌道に乗るまでにどのくらいかかるか、つまり、いつ頃から黒字になるかを予測し、事業開始から3年ぐらいまでの収支の流れを見ることです。

自分がはじめる事業は売上をあげやすいのか、同業他社はどのぐらいで黒字になっているのかなどの情報を事前に収集し、計画を立てる際の参考にします。

事業の種類によりますが、一般的に**6か月から1年ぐらいは赤字を覚悟する**必要があるかもしれません。

収支計画シートを活用して結果を管理する

実際に事業をはじめると業務に追われ、結果を振り返ることを忘れがちです。しかし、予想をするだけでなく予定と結果の確認をすることが成功のカギです。結果を見て、このまま進んでよいか、問題点はあるのかなど、現状分析をすることが重要です。

個人事業の場合、きちんとした収支を把握していないケースが多いので、**事業をはじめた後もこのシートを活用し結果を把握する**ようにしてください。

check

- ☑ **収支計画は経費の予測がたいせつ。**
- ☑ **収支計画で軌道に乗る時期を予測する。**
- ☑ **収支計画シートを事業開始後の結果の検証に使ってみる。**

 MEMO　売上の予想は、厳しすぎず、また甘くなりすぎることのないよう注意しましょう。

収支計画シートを活用する

収支計画シート

単位(万円/月)

		開業時～1か月		～3か月		～6か月		～1年	
		予想	現実	予想	現実	予想	現実	予想	
収入	売上金額	80		220		300		450	
支出	売上原価・仕入	40		90		120		155	
	人件費	0		0		20		80	
	家賃	0		20		20		20	
	その他諸経費	100		140		140		120	
	借入金返済	10		10		10		10	
収益		▲70		▲40		▲10		65	

収支はいつ黒字になるか？

開業と現実

《事前準備期間》
●事務所、店舗の選定、設備の準備などに、思ったよりお金がかかることを実感する。
●資金が集まらないことに苦労する。

《開業1年目》
●なかなか仕事がこない。仕事がとれても時間がかかり思ったように進まない。
●個人事業者の不利な面を痛感する。　●がんばって、企画や営業に励む時。

《開業2年目》
●仕事、顧客が少しずつ増えてくる。　●様子がわかってくるので仕事の処理が速くなる。
●自分の仕事を見て、リピーターや紹介者が出てくる。

《開業3年目》
●少し余裕が出てくる。
●この時期に、このまま行くか、スキルアップ、ステップアップを考えるかが、その後を大きく変える。

《開業5年目》
●少し余裕とマンネリが出てくる。
●安定的に事業を進めるために、初心に戻ってみる。

MEMO　計画を立てても現実は厳しいものです。計画は予定どおり、思うようにいかないものだという意識をもつことも必要です。

著者の経験談から⑤

夢を現実にするはじめの一歩は事業計画

◆紙に書いて考えを整理する

　個人事業をはじめると決心したとき、「この仕事で暮らしていくことができるのか」と考えました。老後は家族との生活の場以外に自分のマンションと仕事をもち自分で暮らしていけるだけの収入を得るというライフプランをもっていた私は何をすればよいのか考えました。

　紙に書くということは自分の考えや気持ちを整理し、事実を客観的に見ることに役立ちます。本文では事業を具体化するためのさまざまなシートが出てきましたが、実際に私が事業を具体化する場合もシートの内容を検討しました。今も残っている資料を振り返ってみると、今の私が思っていたよりずっと詳細にきちんと計画を立てていました。

　最初に、実際にはどのくらいの収入を得ることができるのかということを考え、それを目標にするとともに自分に現実を理解させるようにしていました。

◆焦りは禁物

　資格取得から事業開始後の赤字までを含む経費の予測は300万円。この金額を、開業初年度は赤字、2年目には利益を100万円、そして3年目は200万円という形で回収する予定にしていました。

　結果としては案の定、開業初年度（9月から12月まで）の収入は101,251円で、70万円以上の赤字でした。わかっていても早く回収したいと気持ちは焦りますが、計画を確認し回収は3年計画と言い聞かせ、初年度の実績の把握と反省をし、翌年度の計画を立てていました。そして翌年度は売上およそ350万円、利益およそ120万円。

　開業当時の事業計画には、具体的な行動を「しなければならないこと」「すること」「やりたいこと」に分類し検討してありました。そのほか事業のヒント、方向性などのメモがあり、そしてメモをまとめて計画を立てていました。

　個人事業をはじめることを現実にするには、自分の頭を整理すること、つまり事業計画を立てることがたいせつなのです。

第6章

個人事業をはじめたときの
ライフプラン

事業プランとライフプランは切り離せない
……160
ライフイベント表をつくる……164
財政＝資産を把握する……166
必要生活費を収入と支出から把握する……168
2つの生活費を把握する……170
事業＆ライフプラン計画表をつくる①……172
事業＆ライフプラン計画表をつくる②……174
事業＆ライフプラン計画表を分析する……176
事業＆ライフプラン計画表を見直す……178

事業プランと**ライフプラン**は切り離せない

仕事だけが人生のすべてではありません。
事業がライフプランに与える影響を考えます。

ライフプランと事業の関係

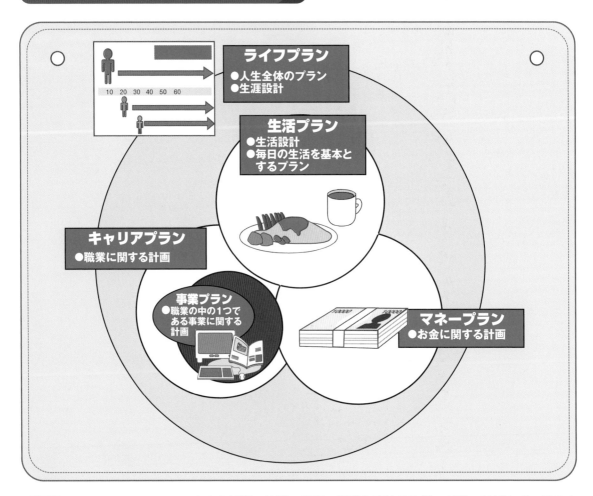

ライフプラン
- 人生全体のプラン
- 生涯設計

生活プラン
- 生活設計
- 毎日の生活を基本とするプラン

キャリアプラン
- 職業に関する計画

事業プラン
- 職業の中の1つである事業に関する計画

マネープラン
- お金に関する計画

WORD　**ライフプラン**　自身の就職・結婚・出産・退職や家族の入学・就職・結婚など、その人にとって大きなでき事を節目に、人生全体の計画を立てる人生設計のことです。

ライフプランとキャリアプランの融合を考える

個人事業をはじめるということは、職業の選択であり、自分のキャリアプランを立てるということでもあります。

キャリアプランでは、仕事、職業をどのようにしていくかを考えます。

ここで注意しなければならないのは、仕事や職業だけが人生のすべてではないということです。そこで、事業をはじめることが人生全体にどのように影響するかも考え、**ライフプランとキャリアプランを融合させていきます。**

ライフプランとキャリアプランとを切り離して考えることはできません。お互いにとても影響しあうことなので、両面から考えていかなければなりません。

事業プランの影響

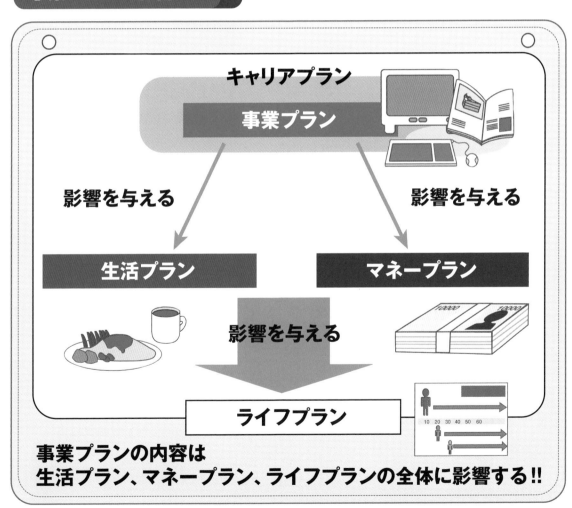

キャリアプラン
事業プラン
影響を与える　影響を与える
生活プラン　マネープラン
影響を与える
ライフプラン

**事業プランの内容は
生活プラン、マネープラン、ライフプランの全体に影響する!!**

キャリアプラン　職業に関する能力開発や就職に関する長期的な将来設計のことです。どのようなキャリアを積んでいくかを計画します。

人生を描いてみる（ライフデザイン）

個人事業をはじめようと考えるとき、事業プランが自分の人生にどのように影響するかをあわせて考えます。

まず、どんな人生を送りたいか、ライフデザインをしてみます。下の表を参考に自分の人生を描いてみましょう。

ここでポイントとなるのは、「個人事業をはじめる」ということを**自分の人生にとっての「事業」という位置づけで考える**ことです。

第5章では事業プランを考えました。この章ではライフプランを考えます。ライフプランを立てるときは、次のように、最初に自分の人生のイメージを描く、ライフデザインをしてみます。

すべてはライフデザインから

あなたはどんな生活をしたいですか？

充実感を味わいながら仕事をしたい。
家族との時間をたいせつにしたい。

あなたの夢は？

実力ある起業家として有名になる。
世界一周の旅をする。
別荘を建てる。

2〜3年後の自分の生活を予想してみましょう

起業し、忙しいが楽しい毎日を送る。
最初は儲けも少なく苦しいが、事業が軌道に乗ってくる。
息子や娘は高校、中学へ進学し、妻との時間が増えてくる。

10年後の生活、生き方を予想してみましょう（予想）

自分

仕事 フランチャイズ店などもでき、
収益が伸び経営にゆとりができてくる。
事業を全体から見渡す立場となる。

趣味 農業に関する勉強を始める。

その他 マンションの補修を行う。

家族 2人の子供は独立。
結婚資金を積み立てる。
妻は趣味を楽しんでいる。

10年後、どんな生活、生き方をしていたいですか？（希望）

自分

仕事 社長として、自分が作り上げた各店舗を見て回る。信頼できる部下ができ、安定した事業をしながら、今後の戦略的な事業展開を考える経営者となっている。

趣味 自分の畑を借り、園芸の勉強を実践的にはじめる。

その他 マンションを住み替えられる程度の預貯金がある。

家族 子供の独立を機に家族で海外旅行に出かける。妻との時間が増え、2人でその後も旅をする機会が増える。

MEMO ライフデザインは自分の夢や仕事などのイメージを描くことです。そして、そのライフデザインをより現実的に生活や人生の計画に盛り込んで設計することをライフプランといいます。

事業プランとライフプランは切り離せない

●将来どんな生活をしたいと思っていますか

●夢はなんですか

●10年後どんな生活をしたいですか

●将来はどんな生活をしているでしょう。2〜3年後の自分や10年後の自分を予想してみてください

●生きていく上でのポリシーは

●自分が目指す生き方は

　これらのほかにも、自分が仕事や生活、そして家族や周りの人に対してしたいことについても記入してみましょう。

　あなたの人生の中で事業をはじめるということはどんな意味がありますか。

　個人事業という、ある意味とても楽しく、そして過酷な世界へ進んでいこうと思うなら、ここで、**自分の生き方、ライフデザインを改めて見つめて、その上で自分の人生の中の事業を考えてみましょう。**

あなたのやりたいことは？

仕事

●売上を伸ばしたい。

●やる気のある社員を育てたい。

●全国規模へと展開していきたい。

●リピーターの多い安定した売上のある経営がしたい。

家族に対して

●2人の子供を大学に進学させたい。

●妻と共通の趣味をもっていたい。

●子供の結婚を支援できる資金をつくりたい。

●両親に安心した老後を送ってもらいたい。

生活

●車を購入し旅行に行きたい。

●事業にも役立つ園芸や農業の勉強がしたい。

●老後を田舎でのんびり過ごしたい。

人間関係

●趣味の世界で友人をつくりたい。

●仕事の拡大と共に人脈を広げたい。

●従業員との信頼関係を築きたい。

●尊敬を得られる社長になりたい。

MEMO　将来までイメージできない、このままいくと将来が成り立たない、というようなライフプランは絶対に立ててはいけません。

[ライフイベント表]

ライフイベント表をつくる

将来の自分や家族のイベントを確認し、ライフイベント表を作成します。必ず文字や数字に表してください。

総合口座通帳　　　様　　あんしん銀行

必ず文字や数字で表す

　自分がやりたいこと、自分の人生をデザインしたら、ライフプランを立ててみましょう。

　まず、**ライフイベントを確認**します。自分や家族の人生や生活にどんな行事や事柄、イベントがあるかを考えます。

　ライフイベントは将来のことですから、確実な予定の必要はなく、「今」「そう思った」「そうしたい」ことを文字や数字に表せばいい

ライフイベント表の記入例

	西暦	20XX	20X△	20X○					
	事業	開業					フランチャイズ店舗増		
	必要資金	700万		100万			500万	350万	
本人	行事								
	必要資金								
	年齢	42	43	44	45	46	47	48	49
妻	行事			料理学校					
	必要資金			20万					
	年齢	39	40	41	42	43	44	45	46
息子	行事	中3	高1(公立)	高2(語学留学)	高3	大1(公立)	大2	大3	大4
	必要資金		20万	50万		80万	50万	50万	50万
	年齢	15	16	17	18	19	20	21	22
娘	行事	小5	小6	中1	中2	中3	高1(私立)	高2	高3
	必要資金			15万			50万		
	年齢	11	12	13	14	15	16	17	18
その他	行事			車購入			住宅補修		
	必要資金			150万			300万		
その他									
イベントに必要なお金の累計		700万	20万	315万	20万	80万	600万	700万	50万

MEMO　ライフイベント表はできれば、仕事を引退するころまで描きましょう。先にいくほど、確実性はなくなりますが、節目節目での見直しをするので、今思っていることを表すようにしましょう。

ライフイベント表をつくる

のです。

ここでのポイントは、自分の考えやシミュレーションを**文字や数字としてアウトプットする**ことです。これにより、自分の計画や夢を客観的に見ることができるようになります。

ライフプランは1つのパターンだけでなく、必要に応じていくつかのプランを立ててみてもよいでしょう。

ライフイベント表を見る

ライフイベント表にイベントの時期とイベントにかかる必要資金の概算を記入します。個人事業については今の時点でわかる範囲、想像できる範囲でかまいません。

ここで最もたいせつなのは、**でき上がったライフイベント表を見る**ことです。「イベントが重なっていないか？」「費用がかさむイベントが続いていないか？」「事業をはじめる時期やその後のイベントに無理がないか？」などを確認します。

次に、「はじめに記入したイベントが本当に必要か」「イベントにかかる費用に大きな誤りはないか」を振り返り、**必要に応じて修正を**します。

このように一度つくったものをたたき台にして、思考・検討を重ね自分のイメージやプランを確立していくのです。

ライフイベントを見直す必要がある場合は、ライフデザインと照らしあわせて、イベントの重要度、優先順位を考えます。

				引退					
引越し					趣味				
40万					10万				
61	62	63	64	65	66	67	68	71	75
					趣味				
					10万				
58	59	60	61	62	63	64	65	68	72
34	35	36	37	38	39	40	41	44	48
30	31	32	33	34	35	36	37	40	44
				旅行					
				100万					
				年金受給予定 ————————→					
							妻 年金受給予定 ——→		
40万				100万	20万				

ライフイベント表のよいところは、自分を中心とした家族の人生にどんなイベントがあり、どのくらいのお金がかかるか、全体のようすがわかることです。

財政＝資産を把握する

将来の財政能力を予測するために、資産の一覧表を作成し、現在の財政状況を把握しましょう。

現在の財政状況を把握する

現在の財政状況を把握し、マネープランを立てることがたいせつです。財政状況は夢、目標、目的の実現に大きく影響します。財政状況がしっかりしていないと夢が夢に終わってしまう可能性が大きくなります。

将来における自分の財政能力を予測するために、まず**現在の財政状況を把握**します。自分の資産を一覧表に書き込んでみましょう。

資産一覧表の記入例

貯蓄

預入先	商品名	名義	満期日	貯蓄残高	目的
証券	投資信託	妻		1,000,000	臨時の支出用
銀行	普通定期	本人	20××年8月	3,000,000	生活費補助
銀行	外貨預金	本人		2,500,000	事業開始のため
郵便局	定額貯金	妻		2,000,000	子の学費補助
	定額貯金	本人		3,500,000	事業開始のため

積立

預入先	商品名	名義	満期日	積立残高	目的
一般財形	社内預金	本人		1,000,000	予備費

保険

保険会社名	種類	契約者	被保険者	受取人
○○生命保険	学資保険	本人	子	本人
△△生命保険	生命保険	本人	本人	妻
	医療保険	妻	妻	本人

MEMO 資産一覧表は家庭にどのような資産があるかを把握するためのものです。1年に1回見直しをしておくといいでしょう。

きちんとした資産状況の把握ができてこそ、これからやろうとすることが資金面で可能かどうか予測できるわけです。

現状の把握が将来のリスクを少なくする

現在が不確実な場合、不確実な数字から予測する将来はリスクが高まります。**将来のリスクを少なくするためにも現状の把握**がたいせつです。また、事業を行う上で資金計画は必ず必要になります。自分のマネープランが立てられないようでは事業プラン、資金計画は立てられません。

事業開始のウォーミングアップだと思って取り組んでください。

資産一覧表をつくる

貯蓄：銀行やゆうちょ銀行などの預貯金残高を記入する（積立タイプのものは「積立」に記入）
積立：財形貯蓄、銀行やゆうちょ銀行などの積立定期など積立タイプのものを記入する
その他の資産：住宅や車など今もっている資産のうち売ったら価値があるものを記入する（現在の資産価値はわかる範囲でOK）
負債：住宅ローンや自動車・教育ローン、カードローンなど、すべての負債を記入する
保険：貯蓄性の高い商品もあるので、資産として把握し、その金額を記入する（リスク対応を考えるためにも重要）

年　月　日作成

その他の資産

内容	購入金額	名義	購入年月日	時価(現在の資産価値)	目的
株	800,000	本人	2017年	1,200,000	趣味・旅行など
自己名義マンション	37,000,000	本人	2010年	25,000,000	住居

負債

負債の種類	借入先	借入額	借入日	完済日	負債残高
住宅ローン	住宅金融支援機構	25,000,000	2010年8月	2035年8月	12,000,000

保険金額	保険料(月額)	満期	現在の解約金の目安	目的
2,000,000	20,000	2027年	0	入院・学費補助2人分
35,000,000	30,000	2035年	0	入院・死亡
10,000,000	5,000	2038年	0	入院・死亡

 MEMO 貯蓄タイプの生命保険の場合、解約するとその時点までに積み立てていた金額のうちの一定額が解約金として支払われることがあります。

必要生活費を収入と支出から把握する

現在の生活費をもとに、手順に従って計算し、
必要生活費を見積もります。

前年度のデータから生活費を把握する

ライフプランを立てるときには、**生活費を予測**しておかなければなりません。今どのくらいの生活費がかかっているかを把握し、必要生活費を見積もります。生活費を把握するとき、きちんと家計簿をつけていても、どうしても見落としが出てきます。

なるべく正確なデータがほしいので、誤差が少なくてすむよう、次のページの手順に従って数字を記入してください。現状の生活費を把握することができます。

必要生活費を求める

収入 ①	給与収入 1-1		8,162,000	夫6,320,000円、妻1,842,000円
	その他の収入 1-2		0	
	一時的な収入 1-3		600,000	保険満期による
	収入合計 1-4		8,762,000	
支出 ③	基本生活費	食費、公共料金、こづかい、雑費など	2,640,000	
	住居費	賃借料（家賃）、ローン返済額、共益費、管理費、固定資産税など	1,032,000	マンションのローンなど
	教育費	学校教育費、家庭教育費（習い事・塾など）	650,000	子供の塾など
	保険料	生命保険料、損害保険料、共済掛金など	100,000	
	その他の支出	耐久消費財の購入、レジャー費など	690,000	旅行代金など
	一時的な支出	マイカーの頭金、冠婚葬祭など	350,000	冠婚葬祭など
	支出合計 3-2		5,462,000	
年間貯蓄額 ②	2-3		3,300,000	

MEMO　給与収入には、給与の「総支給額」でも、「振り込み額」でもなく、総支給額から法律で決められた税金や社会保険料を控除した金額、つまり自分が使うことが可能な金額（＝可処分所得）を記入します。

必要生活費を収入と支出から把握する

①前年度の収入を把握する

1-1 「給与所得の源泉徴収票」から次のとおり計算した金額を「給与収入」の欄に記入する。
給与収入＝Ⓐ－Ⓑ－Ⓒ－住民税

※住民税は6月に会社から配付される「市区町村民税－都道府県民税特別徴収額の決定通知書」参照。

1-2 年金や家賃収入、仕送りなど、定期的な収入がある場合に実際に使える手取額を「その他の収入」の欄に記入する。

1-3 保険の満期金や相続財産など一時的に受け取った収入を「一時的な収入」の欄に記入する。

1-4 収入合計を求めて記入する。

令和05年分　給与所得の源泉徴収票

東京都××××××××××
飛馬 隼人（ヒュウマ ハヤト）

種別	支払金額	給与所得控除後の金額	所得控除の額の合計額	源泉徴収税額
給料・賞与	Ⓐ 8 160 000	Ⓑ 6 589 600	2 167 567	417 200

Ⓒ 社会保険料等の金額 1 211 169　0
生命保険料の控除額 80 000
地震保険料の控除額 16 398
住宅借入金等特別控除の額 200 000

飛馬 すず（ヒュウマ スズ）

フリガナが必要

昭和 51 11 11

〒000－0000　東京都港区××××▲▲▲ビル27階
株式会社ABCD××××　（電話）03-△△△△-△△△△

②年間貯蓄額を把握する

普通預金

年月日	お取引内容	お支払い金額	お預り金額	差引残高
×.12.6	NTT電話料	5,793		169,425
×.12.6	電気料	8,042		161,383
×.12.6	新聞	4,383		157,000
×.12.6	ガス代	7,000		150,000
×.12.25	給与		500,000	650,000
×.12.31	クレジット	550,000		100,000
○.1.7	NTT電話料	5,793		94,207
○.1.7	電気料	8,042		86,165
○.12.6	NTT電話料	5,793		709,425
○.12.6	電気料	8,042		701,383
○.12.6	新聞	4,383		697,000
○.12.6	ガス代	7,000		690,000
○.12.25	給与		500,000	1,190,000
○.12.31	クレジット	110,000		1,080,000

1年間の貯蓄
1,080,000－100,000
＝980,000

※年間貯蓄額（1年間に貯蓄できた金額）は生活費を把握するためのポイント。

2-1 定期預金などの預金や財形貯蓄、養老保険など貯蓄タイプの保険料などを合計する。

2-2 給与振込みがされる銀行等の総合口座の前年末の残高から前々年末の残高を引いた金額を求める。

2-3 2-1と2-2をあわせた金額を「年間貯蓄額」の欄に記入する。

③支出額を把握する

3-1 把握しやすい項目（住居費→保険料→基本生活費→一時的な支出→教育費）から記入していく。

3-2 支出合計を記入する。
※「支出合計」＝「収入合計」－「年間貯蓄額」

3-3 「その他の支出」を記入する。
※「その他の支出」＝「支出合計」－「（住居費＋保険料＋教育費＋基本生活費＋一時的な支出）」

WORD

給与所得の源泉徴収票（きゅうよしょとく げんせんちょうしゅうひょう）

サラリーマンのような給与所得者は、毎年12月に年末調整を行い、年間所得を精算します。その結果がこの源泉徴収票です。年間所得、年間の税金の額、社会保険料などが記載されています。

2つの生活費
を把握する

前年の生活費から切り詰められる支出がないかどうかを
検討し、最低生活費を求めます。

前年の生活費の結果を見る

生活費を把握すると、考えていた以上に実際の支出額が多いと感じる人が多いようです。その原因となるのが「使途不明金」です。

支出の中でも「その他の支出」が多い家計は、この「使途不明金」が多い可能性が考えられます。言い換えれば、「その他の支出」が多ければ、生活費を引き締めることができるということです。

無理・無駄を省いた最低生活費を求める

いざというときに備え、**最低生活費を把握しておくことがたいせつです**。最低生活費は最低限必要な金額です。最低生活費は、前年の生活費から住居費、教育費、保険料について切り詰められるかを検討します。

最低生活費といっても無理をしすぎた数字を出してはいけません。「最低生活費」の意味は無理のない、無駄のない生活費をいいます。前年の生活費を基準に、無理・無駄を省いた生活費を合計するといくらになるでしょう。

最後に**全体の数字に1割を足した額程度を最低生活費**と考えます。

必要生活費を求める

必要生活費（希望生活費ではない。現実的に必要だと思われる生活費）は、現状の生活費を基準に「**どのくらいの生活費で暮らしたいか**」を考えて算出します。

最低生活費と同様、前年の生活費を基準に各項目について必要と思われる金額へ加除修正をします。

将来を予測するライフプランでは、現時点で現実と離れてしまうと、どんどん現実との差が大きくなり、予測した将来の正確性が薄くなるので注意をしてください。

check

☑ 「その他の支出」が多ければ、生活費は引き締められる。

☑ 最低生活費とは、無理のない、無駄のない生活費のこと。

☑ 現実離れした試算では意味がない。

MEMO 使途不明金は、コンビニでちょっとつかったお金やちょっと遊びにいったときの交通費やお茶代など、「ちょっと」したお金の場合が多いようです。

最低生活費と必要生活費を求める

《例》

支出		使途不明金あり？	最低生活費	必要生活費
支出	基本生活費	2,640,000	2,400,000	2,500,000
	住居費	1,032,000	1,032,000	1,032,000
	教育費	650,000	550,000	600,000
	保険料	100,000	50,000	100,000
	その他の支出	690,000	200,000	500,000
	一時的な支出	350,000	200,000	300,000
	支出合計	5,462,000	4,432,000	5,032,000
年間貯蓄額		3,300,000	4,875,200	←1.1倍

上の例を参考に記入してみましょう。

		前年の生活費
収入	給与収入	
	その他の収入	
	一時的な収入	
	収入合計	
支出	基本生活費	
	住居費	
	教育費	
	保険料	
	その他の支出	
	一時的な支出	
	支出合計	
年間貯蓄額		

最低生活費	必要生活費
	←1.1倍

注意！！

保険料………貯蓄タイプのものは除外し、保障部分の保険料は残しておく。
基本生活費…総体的に無駄に感じている部分を省き、節約したらどの程度の金額になるか予測をする。

MEMO 教育費は、学校にかかる費用のほか、習い事や塾などの学校外活動費があります。文部科学省の調べでは小学生の年間学校外活動費は、平均20万円を超えるという統計が出ています。

［個人事業者のマネープラン①］
事業&ライフプラン計画表をつくる①

今後5年分について、これまでの資料をもとに、
事業&ライフプラン計画表を作成します。

手順にそって事業&ライフプラン計画表をつくる

今まで把握してきた資料をもとに、これから5年間の事業&ライフプラン計画表を作成します。

◆イベントに必要な資金合計を求める

145ページの事業プランシートをもとに実行する時期を考えながら、イベントの「事業」の欄〈a〉に転記します。また事業プランに必要な資金の金額もあわせて記入します（①欄）。

次に164〜165ページのライフイベント表から本人と家族のイベント内容を〈b〉〈c〉欄に、それに必要な資金を②・③欄に転記します。

ここまで転記が終わったら、①②③の金額を合計して、その金額をA欄に記入します。

◆収支（過不足金額）を求める

④欄に事業から得られる収入（売上ではなく利益であることに注意）を記入します。

⑤欄には世帯全体の収入を把握するため、④以外の収入（家賃収入、配偶者の収入など）を記入します。

⑥欄には、171ページで計算した前年の生活費を参考に必要生活費を記入します。

B欄は収支となります。〔（④＋⑤）－⑥〕を計算します。つまり事業収入とその他の収入を足したものから必要生活費を引いたものが日常生活費の収支の結果ということです。

⑦欄には、166〜167ページの資産一覧表で把握した資産額の合計を転記します。

⑧欄はその内の使えるお金（貯蓄＋積立）の合計を記入します。

◆総合収支（過不足）を求める

〔⑧＋B－A〕を計算して、総合収支（C欄）を求めます。これにより、収支の差額を洗い出すことができます。赤字になる場合は、貯蓄等を取り崩したということです。

あまりに**赤字が続くような場合は、計画の修正が必要**となってきます。

check

☑ これまで見てきた資料をもとに、事業&ライフプラン計画表を作成する。

☑ 事業&ライフプラン計画表から、収支の差額を洗い出す。

☑ 今後5年分について作成する。

MEMO 個人事業者は事業と生活が密接にかかわります。事業の計画と生活・家族のイベントを同じ位置に並べることで、無理が重なる時期や余裕がある時期がつかめます。

事業＆ライフプラン計画表をつくる①

事業＆ライフプラン計画表の記入例

		1年目	2年目	3年目	4年目	5年目
イベント	事業〈a〉	145ページ　事業プランシート 155ページ　開業資金計画シートより記入する				
	①必要資金（金額）					
	本人〈b〉					
	②必要資金（金額）		164～165ページ　ライフイベント表より記入する			
	家族・その他〈c〉					
	③必要資金（金額）					
	A イベントに必要な資金合計（①＋②＋③）	自分で計算する				
日常生活	収入　④事業収入（利益）	157ページ　収支計画シートより記入する				
	収入　⑤その他の収入	自分で確認する				
	⑥必要生活費	171ページ　必要生活費より記入する				
	B 収支（過不足金額）〔（④＋⑤）－⑥〕					
	⑦資産残高		166～167ページ　資産一覧表から174ページの計算方法により記入する			
	⑧ ⑦の内使えるお金					
	C 総合収支（過不足）〔⑧＋B－A〕	自分で計算する				
	計画の修正　等					

MEMO　「事業＆ライフプラン計画表」は5年間だけでなく、必要に応じて長期間の計画表を作成してもかまいません。

[個人事業者のマネープラン②]
事業&ライフプラン計画表をつくる②

自己資産や使えるお金の計算方法と事業収入の記入方法を理解します。

事業&ライフプラン計画表の作成法

前テーマの手順に従って、計画表を作成します。ここでは、作成する際に気をつけるポイントについて説明します。

◆把握した資産を転記する

166〜167ページでつくった資産一覧表から今の資産残高を把握し、個人事業をはじめたら、**ライフプラン全体として、どのような経済状況になるかを理解**します。

⑦の資産残高は、下の計算方法1のように計算します。

保険は学資保険や養老保険など満期のある、貯金としての意味が強いものを資産と考えます。この資産となる保険が、今解約するといくらなのかがわかる場合は「資産残高」へ含め、わからない場合は「資産残高」に含めず、満期の時期に満期金額を日常生活の「⑤その他の収入」に含めて記入します。

また、退職金が見込める場合には、退職金額も「資産残高」へ含めて計算します。

◆自己資産から使えるお金を確認する

「資産残高」のうち、現金化しにくいその他の資産や負債を除いた、**生活やライフイベントにすぐに使えるお金がいくらあるかを確認**し（→下の計算方法2）、記入します。

◆開業資金計画シートから再確認する

イベントの事業の必要資金（①）へは、155ページの開業資金計画シートの設備資金と運転資金の合計額を記入します。

また、事業をはじめたばかりで、収支計画シート（→157ページ）で赤字の期間は、④の事業収入は「0」となります。

計算方法1　⑦資産残高

資産残高＝〔貯蓄・積立の貯蓄残高＋その他の資産（時価）−負債残高〕＋〔貯蓄タイプの保険の解約金額＋退職金額〕

計算方法2　⑧使えるお金

使えるお金＝⑦資産残高−〔その他の資産（時価）−負債残高〕

MEMO　生命保険には貯蓄タイプの保険、つまり積み立て型の保険があります。養老保険や学資保険などがこれにあたります。また、貯蓄タイプの中には満期のあるものと終身保険のような満期のないものがあります。

事業＆ライフプラン計画表

			1年目	2年目	3年目	4年目	5年目
イベント	事業〈a〉		開業	開業資金のうち自己資金で準備する金額		設備資金＋運転資金＝借り入れ金	
	①必要資金（金額）		700万		100万		
	本人〈b〉						
	②必要資金（金額）						
	家族・その他〈c〉			太郎・高1	太郎・高2（語学留学）花子・中1車購入	妻・料理学校	太郎・大1
	③必要資金（金額）			20万	215万	20万	80万
	A イベントに必要な資金合計（①＋②＋③）		700万	20万	315万	20万	80万
日常生活	収入	④事業収入（利益）		300万	600万	900万	1,100万
		⑤その他の収入	180万	180万	180万	180万	380万
	⑥必要生活費		500万	500万	500万	500万	500万
	B 収支（過不足金額）〔（④＋⑤）－⑥〕		－320万	－20万	280万	580万	980万
⑦資産残高　**計算方法1**			2,720万	1,700万	1,660万	1,775万	2,335万
⑧ ⑦の内使えるお金　**計算方法2**			1,300万	280万	240万	205万	765万
C 総合収支（過不足）〔⑧＋B－A〕			280万	240万	205万	765万	1,665万
計画の修正　等							妻の収入　180万学資保険の満期額　200万

MEMO　生命保険には掛け捨てタイプのものもあります。定期保険や医療保険がこれにあたります。掛け捨てタイプは基本的には満期金や解約返戻金がありません。

事業＆ライフプラン計画表をつくる②

175

事業＆ライフプラン計画表を分析する

事業＆ライフプラン計画表の作成が終わったら、次は分析です。フローチャートを参考にチェックします。

事業＆ライフプラン計画表の全体を見る

ここでは、事業＆ライフプラン計画表を参考に分析し、ライフプラン面から見て、事業をはじめてもよいかを判断します。

まず、年ごとの日常生活収支と総合収支がどのように変化しているかを確認します。事業開始当初に赤字でも、年々赤字が解消され、**改善方向へ進んでいくのかを見る**のです。

◆日常生活の収支を確認する

事業をはじめた場合に生活が成り立つかどうか、日常生活の収支を見てみましょう。

計画表の日常生活の収支（B）が赤字になっている場合は、事業収入が少ないからなのか、それとも生活費が多いからなのか、原因を確認します。次に赤字金額の傾向を見ます。赤字なのは事業開始当初のみか、解消傾向となっているかを確認します。

◆総合収支を確認する

事業をはじめた場合にライフプラン全体を通して計画が成り立つのかを見ます。

総合収支が赤字の場合、赤字の原因が日常生活収支なのか、イベント費用が多いからなのかを確認します。次に赤字の原因がイベント費用の場合は、さらにその原因が事業に関する部分なのか、その他のライフイベントによるものかの確認をします。

フローチャートでチェックする

次ページのフローチャートで、計画がGOかどうかを確認します。個人事業をはじめたら自分や家族の生活がどうなるのかを見た上で、はじめる決心をしましょう。

GOにならない場合は、フローチャートにある内容について見直し、再度、事業＆ライフプラン計画表を作成してから事業を開始しましょう。

check

- [ ] 作成した事業＆ライフプラン計画表の全体を見る。
- [ ] 「日常生活収支」と「総合収支」に分けて見る。
- [ ] 赤字・黒字だけでなく、改善傾向があるか、ないかを見る。

MEMO　赤字が続くということは、赤字を補填するためのお金が必要ということです。頭では理解していてもどんどんお金が減っていくときの不安は予想以上に大きいものです。

GOか見直しかのフローチャート

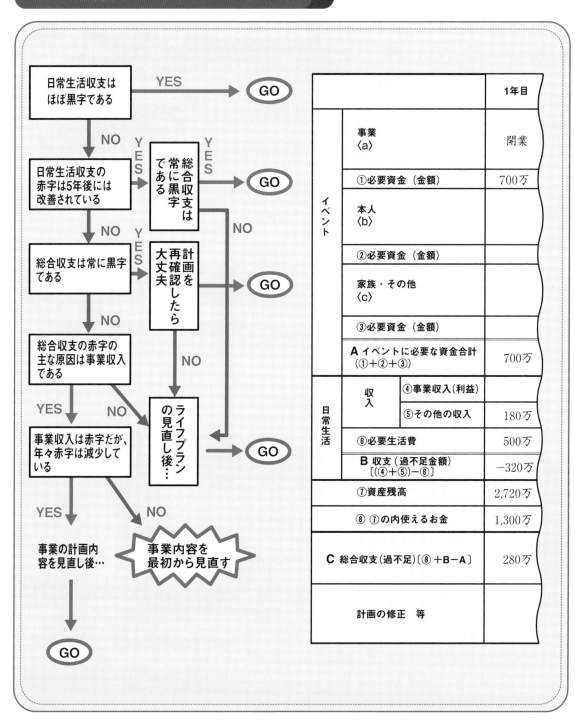

			1年目
イベント	事業〈a〉		開業
	①必要資金（金額）		700万
	本人〈b〉		
	②必要資金（金額）		
	家族・その他〈c〉		
	③必要資金（金額）		
	A イベントに必要な資金合計（①＋②＋③）		700万
日常生活	収入	④事業収入（利益）	
		⑤その他の収入	180万
	⑥必要生活費		500万
	B 収支（過不足金額）〔（④＋⑤）－⑥〕		－320万
⑦資産残高			2,720万
⑧ ⑦の内使えるお金			1,300万
C 総合収支（過不足）〔⑧＋B－A〕			280万
計画の修正　等			

一般的に、個人事業をはじめて事業が軌道に乗るまでの最低6か月から1年程度の生活費は確保しておくようにいわれています。また、事業の種類や個人差はありますが、会社員時代と同じ手取り収入になるのには3年ぐらいが目安ともいわれています。

事業&ライフプラン計画表を見直す

赤字では生活ができません。この場合、
赤字の原因を確認し、赤字解消の見直しが必要です。

はじめに日常生活収支の赤字を解消する

事業&ライフプラン計画表に赤字がある場合は、計画の見直しをします。「総合収支が赤字＝このままでは生活が成り立たない」ということです。次ページの手順を参考に赤字を解消していきましょう。

日常生活収支が赤字の場合は、事業収入以外の収入が見込めないか検討してみます。事業をはじめる本人以外が新たに働きはじめたり、収入が増えるような働き方に変更できないかを検討するのです。

事業収入以外の収入が見込めない場合は、**必要生活費を最低生活費に変更**してみます。

総合収支の赤字を解消する

ライフイベントの時期を予定より遅らせることが可能か検討します。その間に事業を軌道に乗せて利益を増やし資金を増やします。ライフイベントに関する各予定額を引き下げることができるかをあわせて検討します。

それでも、赤字が改善できない場合は、最終手段として、**ライフイベント自体の見直し**をします。予定をしていたライフイベントに優先順位をつけ、優先するイベントから予定に入れていきます。

個人事業をはじめること自体を再検討する

ほかに優先したいイベントが多く、「事業」というイベントの優先順位が下がる場合、個人事業をはじめることを検討し直す必要があります。

「どうして個人事業をはじめたいのか」「何が自分の人生の中でたいせつなのか」を確認し、それでも個人事業をはじめたいと思う強い意志があるなら、もう一度、事業プランを見直しましょう。

check

- ✓ 総合収支の赤字は生活をしていけないということを理解する。
- ✓ 赤字の解消は手順にそって行う。
- ✓ 個人事業をはじめることを再検討する場合も起こりうる。

MEMO 事業が軌道に乗らず赤字が続くと、アルバイトなどで収入を確保しようとする人がいます。これは本末転倒。そうならないためにもしっかり事業&ライフプラン計画を立てましょう。

事業＆ライフプラン計画表を見直す

事業＆ライフプラン計画表

STEP6. イベントの見直し　STEP7. 個人事業をはじめることの見直し

これでいい?

		1年目	2年目	3年目	4年目	5年目
イベント	事業〈a〉	開業				
	①必要資金（金額）	700万		100万		
	本人〈b〉			STEP4. イベント時期の検討	STEP5. イベント費用を見直し	
	②必要資金（金額）					
	家族・その他〈c〉	400万にならない?	太郎・高1	太郎・高2（語学留学）花子・中1 車購入	妻・料理学校 10万にならない?	太郎・大1
	③必要資金（金額）		20万	215万	20万	80万
	A イベントに必要な資金合計（①+②+③）	700万	20万	315万	20万	80万
日常生活	収入 ④事業収入（利益）		300万	600万	900万	1,100万
	⑤その他の収入	180万	180万	180万	180万	380万
	⑥必要生活費	500万	500万	500万	500万	500万
	B 収支（過不足金額）〔(④+⑤)−⑥〕	−320万	−20万	280万	580万	980万
	⑦資産残高	2,720万	1,700万	1,660万	1,775万	2,335万
	⑧ ⑦の内使えるお金	1,300万	280万	240万	205万	765万
	C 総合収支（過不足）〔⑧＋B−A〕	280万	240万	205万	765万	1,665万
	計画の修正　等					

STEP1. 事業収入以外の収入の確保を検討（日常生活収支が赤字の場合）

STEP2. 必要生活費を最低生活費へ変更（日常生活収支が赤字の場合）

STEP3. 使える資産（流動資産）の確保を検討

MEMO 自分がやりたいと思ったライフイベントを取りやめるのは最終手段です。できるだけ収入の確保にチャレンジし、それでも難しい場合は取りやめる前にイベントの時期や費用の見直しをしましょう。

著者の経験談から⑥
ライフプランを考えて事業計画を立てる

◆家族を意識してこその個人事業

　個人事業をはじめることは人生においてのビッグイベントです。だからといって、自分のことだけ、事業のことだけを考えればいいというものではありません。個人事業の開始は自分にかかわる人の人生にも影響を与えるのですから。

　自分が送る人生、そして家族の人生や将来をイメージせずに個人事業をはじめることはできません。

　私は事業プランを考えるときに、子供たちの年齢や行事を横に書き出しました。子供たちが受験などのイベントにあたるときにはどうしても事業に集中できる時間が限られます。あらかじめわかっている子供たちの年齢からくる行事は考慮し、事業の積極展開の時期やタイミングを考えました。

◆私のサクセスストーリー

　さらに、自分個人の総資産を確認しました。「夫に頼らず、自分の力でどれだけのことができるか」「どれだけの資金が捻出できるのか」を判断するためでした。その事実から事業にどれくらい投資し、どれくらい経てば採算がとれ、家族みんなの生活に補填できるのかを考えました。

　また、老後、家族との生活の場以外に自分のマンションと仕事をもち、自分で暮らしていけるだけの収入を得るという、ゴールまでのプロセスをイメージしました。これが私にとってのサクセスストーリーです。

　私は、ライフプランにあわせて、短期、中期、長期の事業展開とマネープランである資金計画を考えました。私は子供たちをとてもたいせつに思っています。そして同じように仕事もたいせつです。しかし、子供たちは成長し、いずれは私の手を離れていくので、このライフプランの流れに逆らわない事業展開を考えていきました。

　人によっては事業計画をもとにライフプランを調整することもあるでしょう。その人の優先順位や考え方の違いで判断していけばいいと思います。

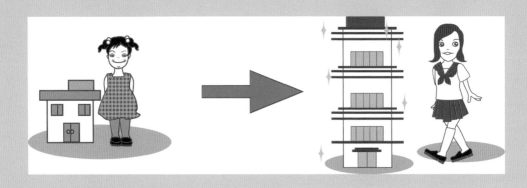

第7章

Chapter 7

事業繁栄のポイント

個人事業者に求められる能力を磨く……182
自分にあった営業方法を確立する……184
営業することは恐くない……186
人脈づくりが事業繁栄のカギ……188
よき相談者・理解者・協力者をもつ……190
事業案内は頼りになる営業ツール……192
事業内容をアピールする方法を検討する
……194
市場調査は個人事業にこそ欠かせない……196
人材選びは事業繁栄の基礎……198

個人事業者に求められる
能力を磨く

個人事業者には事業成功のためにさまざまな能力が
求められます。中でも重要なのは論理的思考能力です。

論理的な思考の例（宅配型惣菜店）

STEP1　事実を客観的に受け止める

［情報］：同じ場所、同じ値段、同じ商品を
　　　　売っていたたこ焼き屋が、急に繁
　　　　盛しはじめた
［事実］：「たこ焼きの売上がアップした」
　　　　「同じ場所、同じ値段、同じ品質」

POINT
- 情報の中で重要なこと、ポイントは何かを考える
- 推測部分が入っていないか検証する（事実と推測に分類する）
- 思い込み、常識、過去の知識・情報の影響を受けていないか確認する

STEP2　事実が発生した原因・理由・背景を確認・推測する

たこ焼き屋の前を通る人が多くなった	→ 多くの顧客の視野に入る	→ 外的原因
笑顔が絶えない店員になった	→ 顧客の志向をつかむ	→ 内的原因
世間でたこ焼きが健康にいいとブームになった		→ 外的原因

POINT
- 事実が発生した原因・理由・背景を確認する（推測する）
- 確認および推測した原因・理由・背景を内容の傾向ごとに分類する
- 傾向ごとの分類にタイトルを考える（分類は外的な原因、内的な原因、金銭的な原因など、どんな傾向があるか考える）
- 各分類の相関関係、影響を図に表す

MEMO　論理的な思考はたいせつです。しかし、その前に日常生活の中のいろいろな事象や情報に興味をもったり、意識したりすることがもっとたいせつです。論理的な思考力があっても、思考するための情報がなければ話になりません。

個人事業者に求められる能力を磨く

必要なのは事実から予測を立てる論理的思考能力

事業を成功させるためには、たくさんの情報から適切な情報を選び、決断へとつなげていかなければなりません。

適切な情報を選ぶためには思考能力を磨くことがたいせつです。これには、下図にある手順とポイントが欠かせません。

事実を客観的に受け止めるためには、情報の中から「重要なことは何か」「何がいいたいのか」などの**本質を見抜き**、次に事実が発生した原因などを**傾向ごとに分類**します。さらに、分類した**原因の関係を体系立て、将来を予測**します。そして最も重要なのは、予想した情報を実際の**業務にどのように活用**していくかを考えることです。

「事実を体系立ててとらえる（分類・整理）」「相対する方向からの思考（トップダウンとボトムアップなど）」などを日常の中で意識するようにしましょう。

STEP3 将来を予想・予測する

[予想1]：宅配型の惣菜屋にとってお客さんの視野に
　　　　　入るための手段を予想する。
[予想2]：宅配型の惣菜屋にとってターゲットとなる
　　　　　働く主婦の興味があるものは何か予想する。
[予想3]：健康志向を活用するにはどんなやり方が
　　　　　あるか予想する。

POINT
- 分析した原因の傾向ごとに将来を予測する
- 他の関連情報を含めて、もう一度予測してみる

事業成功のための行動へつなげる

STEP4 予想した情報の活用を考える

[予想1] → 活用1：宅配する時の車やバイクを宅配型の惣菜屋とわかるようにする。
[予想2] → 活用2：対応のよい人が宅配する。エステ、マッサージなどの情報も提供する。
[予想3] → 活用3：健康食材を使ったお惣菜であることをアピールする。

MEMO 紹介した思考能力のほかに、体力や根気、心遣い、思いやりといった能力なども当然求められます。

自分にあった営業方法を確立する

「営業が苦手」でも大丈夫です。
自分の性格や事業プランにあった営業方法を早く確立しましょう。

営業方法はいろいろある

会社員の場合、ある程度の独自性や工夫が許されるとしても、組織として確立された営業方法を変えるわけにはいきません。

しかし、個人事業の場合は、自分の**性格やろうとしている事業プランにあった営業方法を確立する**ことができます。

◆コロナ禍以降も飛び込み営業はなくならない

「営業の中でも飛び込み営業は最も苦手」という人が多いようです。

でも、飛び込み先のお客さんのニーズを事前に把握できれば、お客さんからも喜ばれ、楽に営業をすることもできます（→次ページ）。

◆DM（ダイレクトメール）

DMには郵送によるものと電子メールによるものがあります。一般的には1,000通のDMを送っても3件（全体の0.3%）ぐらいしか反応がないといわれています。

DMは無作為に送るのではなく、マーケットやニーズを的確にとらえて送付すれば、確率を上げることが可能になります。

間接営業が向いている場合もある

比較的高価な商品や目に見えないものや形にならないノウハウを売る場合、**間接営業のほうが効果が高い場合もあります**。間接営業の1つに執筆やセミナーなどの講演があります。執筆、講演などで商品である自分のノウハウをお客さんに知ってもらうという方法です。

また、InstagramやX（旧Twitter）、Facebook、YouTubeなどを利用し、商品や店舗の写真、特徴・メニューなど知ってほしい情報を発信することも立派な営業の1つです。

「営業は苦手だ」という人は、ほかの人に営業をしてもらう、営業をあまりしなくてもよい独自性・特殊性の高い商品・サービスを提供するという方法もあります。

事業を軌道に乗せるためにも、早く自分にあった営業の方法を見つけてください。

check

☑ **性格や事業プランにあった営業方法を検討し、早めに確立する。**

☑ **営業が苦手な人は、営業をしなくていい方法も検討する。**

WORD かんせつえいぎょう **間接営業** 直接お客さんへ物やサービスを販売するのではなく、人やツールなどを通して間接的に宣伝・販売する営業方法です。

飛び込み営業の例（私の場合）

ポイント1
商品・サービスをピックアップする

● お客さんを引きつけやすい商品・サービスを選び（たとえ採算性が低くても）営業する。

● 新規事業をはじめる事業主が、人を雇ったときに受け取ることができる助成金の申請代行を飛び込み営業のツールとする。

※お客さんは、お金をもらえ、得をする感じがするので、飛び込みでも話を聞いてくれやすいと考えた。

ポイント2
ターゲットとなるお客さんがどこに集まるかをピンポイントで見つける

● 求人広告・折込チラシの求人広告などから「新規事業拡大につき、社員急募」の見出しで求人をしている会社へ電話をする。

ポイント3
営業をする相手を選ぶ

● なるべく経営者が電話口に出るようにトークを工夫する。

今日は新しい商品のご紹介です

ポイント4
だれと話せば効果が高いか把握し実行する

● 経営者・責任者が電話に出たら、お客さんのメリットをわかりやすく簡単に伝える。

ポイント5
説明を聞きたくなるようなトークを工夫する

● 「国からの助成金はもちろんもらっていますよね？」
「国からもらえる返済不要の助成金の手続きは済んでいますよね？」

● 反応があったので、資料を届けるアポイントを取りつける。

ポイント6
タイミングを逃さないで会う

● 直接会って話をする。
※Zoomなどを利用したオンライン商談も積極的に利用する。

● アポイントを取りつけてから、会うまでの間をおかないようにする（ただし、相手の都合を優先）。

ポイント7
適切な資料をつくる

● 難しいことをわかりやすく伝えられる資料をつくる。

● プロならではの注意点を加える。

MEMO　生活の中で営業をしてみましょう。たとえば、知人、友人などに会ったときに、自分の商品、サービスなどを相手に営業と感じさせないように「自分が今やっていること」という視点でわかりやすく簡単に話しておくことも営業の1つです。

[営業の心得]

営業することは恐くない

営業はただ漠然と行えばいいというものではありません。
営業の3つのポイントをおさえましょう。

営業では3つのポイントをおさえる

「営業をしたことがない」という人も心配はいりません。私も営業経験なく個人事業をはじめました。今では人から営業力があるといわれるまでになりました。

個人事業における営業のポイントは、次の3つです。個人事業は商品やサービスが身近で、自分で商品やサービスの工夫をすることができるので、企業の営業とはその方法も違ってきます。

◆商品・サービスのよさを理解する

いい商品・いいサービスは営業しやすいので、喜ばれる商品を選んで仕入れたり、いいサービスを提供したりして、そのよさを知ってもらうことがポイントになります。

それには、商品やサービスのよさを知り、まずは**自分がそのよさを実感する**ことです。

◆相手のニーズや立場をよく理解する

次にポイントとなるのは、**相手の気持ちを理解する**ことです。

動物の苦手な人にペット用品の重要性について一生懸命説明したとしても、相手にとっては迷惑なだけです。

どんなにすばらしい商品でも相手の立場になり、相手にわかるように説明してあげることが基本です。

◆心を込め、そしてタイミングを逃さない

お客さんに商品やサービスを買う気持ちにさせるためには手を抜かず、その気になった瞬間のタイミングを逃さないことです。

タイミングは営業の命です。お客さんが話を聞こうと思った瞬間を逃すと、もう二度と聞いてくれない場合も多くあります。

タイミングを逃さないためには、相手のようすに注意をしてアンテナをはっておくことです。そのためにも、**自分の感性を磨く努力**を怠ってはなりません。

check

☑ **自分の商品・サービスのよさをとことん理解する。**

☑ **ニーズや立場など、相手の気持ちをよく理解する。**

☑ **心を込めて手を抜かずタイミングを逃さない。**

MEMO 営業は恋愛と同じとよくいわれます。相手に商品やサービスを好きになってもらうために独りよがりにならず、相手を想い、自分（自分の商品やサービス）をわかってもらう……。そして手は抜かず、押すだけでなくときには引いてみるといった駆け引きも必要かも。

営業することは恐くない

顧客獲得までの営業ポイント

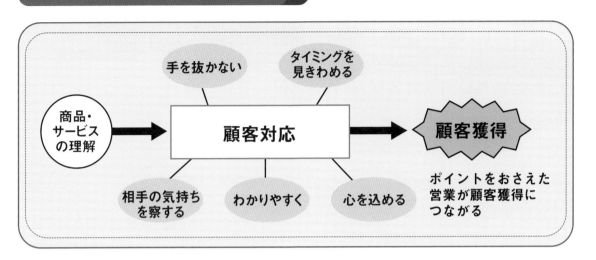

商品・サービスの理解 → 顧客対応 → 顧客獲得

手を抜かない
タイミングを見きわめる
相手の気持ちを察する
わかりやすく
心を込める

ポイントをおさえた営業が顧客獲得につながる

メールでの対応ポイント

■営業・顧客対応においても電子メールなしでは考えられない。
■営業に関するメールは友達同士のメールとは違う。以下の点に気をつける。

注意1

お客さんからのメール対応はより早く。

注意2
すぐに対応できないときは、メールを受け取った旨の返事だけでもしておく。

注意3
メールの文章の書き方でこちらのレベルを判断されるので、常識のある文章を。

注意4
メールは事務連絡という冷たさを感じやすい。営業のためのメールは自分が伝えたい連絡事項のほかに、相手が関心のある内容やみんなに同じようにメールをしているのではなく、あなたのために書いているという内容を「少し」プラスする。

注意5
メールは誤解を招きやすいので、言葉遣いだけでなく、ニュアンスを伝えることにも気をつける。

注意6
メールは個人情報の宝庫。取り扱いには十分注意する。

MEMO 同じ内容のメールをたくさんの人に同時に出せるのもメールの便利なところです。しかし、同時に出した人同士のメールアドレスがわかるように送ってくるのを見ることがあります。メールアドレスはとてもたいせつな個人情報です。気をつけましょう。

[紹介と人脈]

人脈づくりが
事業繁栄のカギ

人脈は一朝一夕にできるものではありません。
人脈づくりは自分を知ってもらうことからスタートします。

紹介にはよさもあるが恐さもある

　営業をする上で、顧客を紹介してもらう場合も出てくると思います。なんのツテもなく営業するより、紹介をしてもらうと何倍も早く顧客に近づくことができます。

　「○○さんの紹介で来ました」といえば、とりあえず話を聞いてもらうことができます。その上、相手の性格などを事前に聞いておくこともできるので営業しやすくなります。

　ただ、よいことばかりではありません。紹介してくれた人の立場を考えて行動しなくてはならないので、価格面やサービス面で思うようにできない場合も出てきます。

　また、顧客の期待を裏切るような結果になった場合、紹介してくれた人の信用まで失わせることにもなりかねません。

人脈づくりは自分を知ってもらうことからはじまる

　事業を行っていく上で、人脈づくりは欠かせません。人間1人では能力的にも限りがありますから、意識的に、いろいろな人とのつき

あいをもつよう工夫しましょう。たとえ営業に関係なくても、情報交換やアイディア、考え方を学ぶためにも、**人脈づくりは欠かせないものなのです。**

　ただし、人脈は一朝一夕にできるものではありません。まずは、**自分という人間を多くの人に知ってもらう**よう努力をすることが求められます。

　また、単に「その人を知っている」というレベルではなく、**信頼関係を培ってこその人脈**であることを肝に銘じてください。

　はじめは異業種交流会や勉強会、同窓会など、人の集まるところへ、時間の許す限り出かけてみましょう。

　そして、内容やテーマ、参加者を観察し、参加を続けていくべき交流会を見つけていくのがよいでしょう。

check

☑ 紹介のよさ、恐さを理解した上で、紹介を活用しよう。

☑ たいせつなのは信頼関係が培われた人脈づくり。

☑ まずは自分を知ってもらい、次に信頼関係を培う。

WORD

しょうこうかい
商工会

法律に基づいた特別認可法人です。全国に1,640ほどあり、事業経営者を中心とした会員組織です。個人事業者でも一定の条件を満たせば加入することができますが、会費が必要になります。

人脈づくりが事業繁栄のカギ

人脈づくりの方法

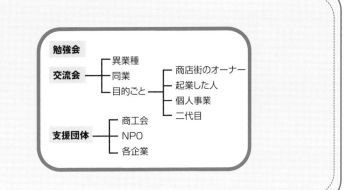

STEP1 自分を知ってもらう

●各種集まりに参加する
●外に出る
●人に会う

STEP2 相手を知る

STEP3 つきあい方を考える

STEP4 信頼関係を深める

勉強会

交流会 ── 異業種
　　　　├ 同業
　　　　└ 目的ごと ── 商店街のオーナー
　　　　　　　　　　├ 起業した人
　　　　　　　　　　├ 個人事業
　　　　　　　　　　└ 二代目

支援団体 ── 商工会
　　　　　├ NPO
　　　　　└ 各企業

開業の挨拶

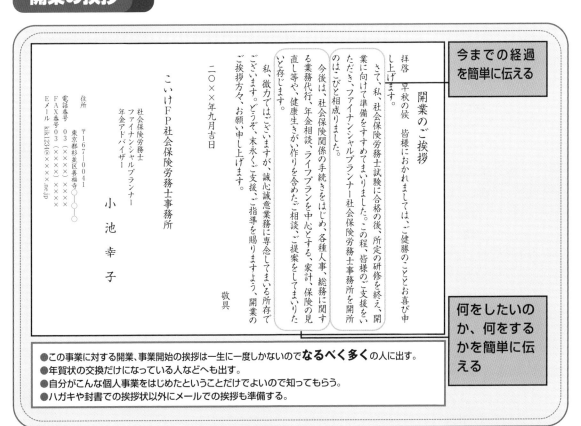

今までの経過を簡単に伝える

開業のご挨拶

拝啓　早秋の候、皆様におかれましては、ご健勝のこととお喜び申し上げます。

さて、私、社会保険労務士試験に合格の後、所定の研修を終え、開業に向けて準備をすすめてまいりました。この程、皆様のご支援をいただき、ファイナンシャルプランナー社会保険労務士事務所を開所のはこびと相成りました。

今後は、社会保険関係の手続きをはじめ、各種人事、総務に関する業務代行、年金相談、ライフプランを中心とする、家計、保険の見直し等や、健康生きがい作りを含めたご相談、ご提案をしてまいりたいと存じます。

私、微力ではございますが、誠心誠意業務に専念してまいる所存でございます。どうぞ、末永くご支援、ご指導を賜りますよう、開業のご挨拶方々、お願い申し上げます。

敬具

二〇××年九月吉日

こいけFP社会保険労務士事務所

社会保険労務士
ファイナンシャルプランナー
年金アドバイザー

小池 幸子

住所　〒167−0041
　　　東京都杉並区善福寺○−○−○
電話番号　03（××××）××××
FAX番号　03（××××）××××
Eメール　kik1234@××××.ne.jp

何をしたいのか、何をするかを簡単に伝える

●この事業に対する開業、事業開始の挨拶は一生に一度しかないので**なるべく多く**の人に出す。
●年賀状の交換だけになっている人などへも出す。
●自分がこんな個人事業をはじめたということだけでよいので知ってもらう。
●ハガキや封書での挨拶状以外にメールでの挨拶も準備する。

WORD

えぬぴーおー
NPO

Non-profit Organization 「非営利組織」の略称。法律に基づき利益を関係者に分配しない団体です。社会的に信用を得て、起業などの支援をしている団体もあります。

[事業成功のカギ]
よき相談者・理解者・協力者をもつ

個人の限界をカバーしてくれる相談者・
理解者・協力者をもつことが事業成功のカギとなります。

専門家を活用する

事業を進めていく上で1人4役をこなし続けるのは大変なことです。そんな精神的にも肉体的にも厳しい状況で**うまく活用したいのが専門家**です。

すべて自分で考え、理解し、実行することは意味のあることですが、費用対効果の視点から見れば、専門的な知識やノウハウが必要なものは専門家に頼む方法もあります。事業全体で専門的な知識がどれだけ必要かで、専門家に依頼するかどうかを判断しましょう。

専門家の活用の仕方として、「作業を頼む」「相談に乗ってもらう」「専門家としての視点でのアドバイスをもらう」などがあります。

個人事業者は近視眼的になりやすいので、そんなときこそ専門家の存在意義も大きくなります（→202～205ページ）。

不安なときにたいせつな
よき理解者

個人事業者は、1人で判断、決断を繰り返さなければなりません。でも、決断に自信がもてないことがあるかもしれません。また、はじめた事業が軌道に乗らず、くじけそうになるときも、不安を感じるときも多いでしょう。

そんなときにこそ、話を聞いて、冷静に事実を受け止めてくれ、決断できずに悩んでいるときに**背中をそっと押してくれる**、そんなよき理解者が必要となるのです。

事業を理解してくれる
協力者

個人事業だからといって、すべて1人でするのは難しいといえます。個人の人脈にも収集できる情報にも限りがあります。

やはり、1人では限界があるのです。事業の成功はいかに**自分の事業を理解してくれる協力者を増やす**かにカギがあるようです。

check

☑ 目的にあった専門家の活用を考える。

☑ くじけそうなとき、不安なときに助言してくれる、よき理解者をもつ。

☑ 1人の限界をカバーしてくれる協力者をたくさんもつ。

MEMO 一番のよき理解者は身近で自分のことをよくわかってくれている配偶者という人も多いようです。また、逆に配偶者には心配をかけたくないので理解者は家族以外という考えの人もいます。

相談者・理解者・協力者との関係

● 専門的な情報や知識を提供してくれる
● 相談に答えてくれる
  商品・サービス……商品・サービスなどの知識・情報の収集、アドバイス
  経営・事業運営……法律、経理、人事、管理などの知識・情報の収集、アドバイス

● 自分の立場に立って考えてくれる
● 事業内容、自分のやりたいことを理解してくれる
● カウンセリング的な傾聴や受容をしてくれる
● 決断の支援（背中のひと押し）をしてくれる

● 自分1人ではカバーできない事業の支援をしてくれる
● 人脈・情報・知識・時間など自分の代わりをしてくれる

COLUMN

相談する者としてのマナーを守る

　専門家として、さまざまな相談を受けますが、中には困ったお客さんもいます。

　知ったかぶりをして事実をきちんと伝えられない人、聞いたことだけ答えてくれればいいという人……。

　事実を伝えてもらわないと誤ったアドバイスになりかねません。また、ほかのことを考慮しないで、聞きたいことだけを伝えているとアドバイスが裏目に出ることもあります。

　相談する側にもマナーがあります。しっかりとした受け答えを心がけましょう。

MEMO　事業を成功させるためには協力者であり理解者であり、そして相談者でもある「自分のブレーン」をもつことがたいせつ。「この人が自分のブレーンだ」といえる人を見つけましょう。

[事業案内の作成]

事業案内は頼りになる営業ツール

事業の内容を理解してもらうためのツールが事業案内です。
見てもらえる事業案内になるよう工夫しましょう。

事業案内で事業内容を理解してもらう

　事業の内容を人にわかってもらう手段として事業計画書の簡易版にあたる「事業案内」があります。事業の種類によっては、事業計画書以上に事業内容を伝える手段として**利用価値があります**。

　本格的な事業計画を立てる必要がない人も事業案内をつくり、自分の考えをまとめておくと、営業をしていく上でも何かと便利に使うことができ、一石二鳥です。

事業案内は見る人の立場に立ってつくる

　事業案内は、事業の内容を相手に伝えるものです。事業案内をつくる前に事業内容をしっかり整理しておく必要があります。

　読み手は多くの時間を割いてまで理解をしようとはしてくれません。そこで、単に内容がわかるだけでなく、見る人の立場になって端的に伝わるように、文字だけでなく図表やイラスト、色など、**ビジュアル的な工夫をする**ようにします。

商品のイメージを連想させる工夫をする

　事業のコンセプト・事業理念を短いキャッチコピーにしておきましょう。また、自分の事業を印象づけるためにロゴをつくったり、事業カラーなどを決めるのもいいでしょう。

　おしゃれな感じ、やさしい感じ、あるいは誠実な感じ、力強い感じなど、事業内容や事業のコンセプトを印象づけ、商品のイメージを連想させる工夫がたいせつです。よその会社案内や事業案内を参考にしてみるのもいいでしょう。

　魅力ある、心に残る事業案内をつくることができれば、後は立てた計画に向かってがんばるだけです。

check

☑ 事業の内容を相手に伝える営業ツールが事業案内。

☑ 事業案内をつくる前に、事業内容を整理しておく。

☑ ビジュアル的な工夫をして、見てもらえる事業案内にする。

MEMO　事業案内に最適なページ数は、多くても4〜5ページです。あまり多いと見てもらえなくなることもありますから、適度な量にしましょう。

事業案内は頼りになる営業ツール

事業案内作成のポイント

● わかりやすく……イラストや図表、キャッチコピーの活用等
● 印象やイメージをたいせつに……ロゴやカラーの使い方

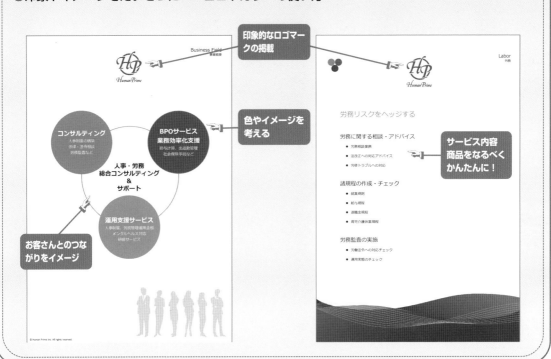

事業案内に盛り込む主な内容

● **事業理念・事業方針**
　事業の目的、目標、コンセプト・モットーは何か？

● **提供するサービス内容（事業内容）**
　何ができるのか、何をするのか？

● **特徴**
　どんな特徴・アイディアがあるのか？

● **事業主体・構成員**
　だれがやっているのか？　責任者はだれか？

● **事業形態・組織図**
　どんな形態でやっているのか？

● **支援者**
　だれが、どんな形で協力してくれているのか？

● **その他**
　事業をはじめた経緯など

MEMO　プロのデザイナーに依頼すると、時間やコストがかかります。最初は自分で工夫して作成してみましょう。

事業内容をアピールする方法を検討する

事業を継続していく上で広告や宣伝は欠かせません。
ホームページの開設など、広告手段を検討しましょう。

広告・宣伝の手段を決定する

事業経営の上で、広告・宣伝はとてもたいせつです。業務内容から広告・宣伝の手段を決定します。

◆ホームページの作成

インターネットの活用は、今の時代とても有効な広告手段です。**ぜひホームページを作成しましょう。**

手軽に作成できるツールもあるので、自分でチャレンジするのも1つの方法です。また、業者に依頼してもいいでしょう。

◆メールマガジンの発行

情報発信としてテーマを決めて発行してもいいですし、商品紹介のような内容でもOKです。とにかく、自分の事業を多くの人に知ってもらうことがたいせつです。

継続することが重要なので、たとえば「毎月第3水曜日に更新」とスケジュールをあらかじめ決めてしまいましょう。

メールマガジンは、色づけや画像を使ったHTML形式が主流で、見やすくすることがポイントとなります。また、タイトルのつけ方や興味をひく言葉、関心をもたれそうな言い回しを工夫しましょう。

◆パンフレット・チラシや動画の作成

商品・サービスを多くの人に知ってもらうためには、パンフレットやチラシ、YouTube、TikTokのように目で見て、すぐにわかる資料を用意しておくことが必要です。

どこか公共の場所などに置かせてもらえるようであれば利用しましょう。また、知り合いにチラシ配りの協力を依頼するのもいいでしょう。

見やすく・わかりやすくが作成のポイントです。自作原稿をカラープリンタで印刷するもよし、枚数によってはネット印刷会社に委託したほうが安価で仕上がる場合もあります。

check

☑ 事業内容をなるべく多くの人に知ってもらう。

☑ ホームページの開設やメールマガジンの発行にも挑戦してみよう。

☑ 商品・サービスをアピールするためのチラシや動画をつくろう。

MEMO　多くの人に1度にメールを送信するには、「メーリングリスト」のようなツールがあります。

ホームページの例

全体的にスッキリした印象に

現在力を入れている商品などはトップページからリンクする

アピールしたい情報を簡潔に

訪問者にとって有益な情報を速やかに提供する

COLUMN

見に来てもらえる工夫をする

　ホームページをたくさんの人に閲覧してもらうためには、更新が必要です。ずっと同じ情報を掲示しているようでは、お客様は見に来てくれません。常に新しい情報を提供していくことがポイントです。自分の事業または自分自身の最新情報を常にアピールしましょう。

　なるべくたくさんの人にのぞいてもらうようにするには、名刺や事業案内、メールの署名などにホームページへのQRコードを記載するのはもちろんのこと、関連のホームページや知り合いのホームページとリンクを貼ることも効果が期待できます。

　ホームページ本体のほかにブログや動画用のページを構築し、ブログやYouTubeで情報を発信することもホームページへお客様を誘導するのに有効な手段です。

　SNSを利用することでの情報発信を行うこともできます。TikTok、LINE、FacebookやX(旧Twitter)、Instagramなどを利用して、効果があがることもあります。クチコミで顧客が増えたという声も聞きます。

　また、今はパソコンよりも、スマートフォンやタブレットなどモバイル端末からの閲覧が主流となっているので、見せ方にも工夫が必要です。

MEMO　ホームページの作成方法としては、「ホームページ・ビルダー」(ジャストシステム) のようなソフトウェアを使ってサイトを構築する他に、初心者でも比較的簡単に管理・更新ができる日本語対応CMS「baserCMS」や「WordPress」が人気です。

市場調査は個人事業にこそ欠かせない

お客様のニーズをとらえるために市場調査を行います。
事業内容にあわせた調査方法を選択しましょう。

市場調査で将来を予測する

物やサービスを必要とする人がいて、提供する人がいる。そこではじめて商売が成り立ちます。

これからはじめる事業を必要とする人はどのくらいいるのかをしっかりと調べて、採算がとれる事業かどうかを確認するために市場調査をします。

個人事業こそ市場調査が重要

大きな企業であれば、営業にたくさんの人を雇ったり、テレビのCMなど、広告宣伝にお金を使うことができます。

しかし、個人事業の場合、そんなにお金をかけることはできません。だからこそ、お客さんのニーズの把握や同業他社の状況をつかむ市場調査がよりたいせつになるのです。

お客様のニーズをしっかりとらえていれば、商品の**販売がラクになります**。そして同業他社の状況がわかれば、ほかにはない特徴を出すこともでき、**販売もしやすくなります**。

市場調査は自分の目と足で

市場調査の方法には自分で調査する方法と専門機関などを使う方法があります。それぞれ、メリット、デメリットがあります。

ここでは、インターネットを活用して自分で調査する場合の主な方法をまとめました（→次ページ）。

インターネットは比較的簡単にモニターを募集でき、製品の感想を聞けますが、信憑性（しんぴょうせい）について多少考慮して活用してください。

これらの方法以外にも、実際にお店を開こうと考える場所に立って調査したり、周辺を歩いてお店や人の様子を観察する「目と足を使う」方法が案外重要なリサーチ方法です。

check

☑ 市場調査でニーズをとらえると販売がしやすくなる。

☑ 自分の目と足を使うと数字に表れない調査ができる。

☑ インターネットによる市場調査は個人でも手軽にできる。

WORD　ニーズ　お客さんの要望や希望する商品性、サービス内容などのことです。クライアントの欲しがっているものを提供すると売れる確率がアップします。

市場調査は個人事業にこそ欠かせない

Web調査

調査方法の種類		調査方法	ポイント
自分で調査	アンケート・商品モニター	自分のホームページやSNSでのアンケート調査、および商品モニター募集	●自分のホームページの作成が必要 ●アンケート回答者やモニター応募者を増やす工夫が必要 例：魅力ある内容、新しい情報提供、人気サイトとの相互リンク、フォロー、スポンサーサイト等への広告　など
		懸賞サイト（有料、無料）でのアンケート調査	●懸賞サイトへの掲載依頼が必要
		メールマガジンでのアンケート調査や商品モニターの募集	●自分のメールマガジンの発行が必要 ●他のメールマガジンへの掲載依頼が必要 ●アンケートの回答者やモニター応募者を増やす工夫が必要 例：魅力ある内容、新しい内容、広告　など
	ログ解析	ホームページのアクセス解析　SEO分析	●ホームページ・ブログを見た人の傾向を把握する 例：地域、検索キーワード　など
		SNS、ブログのアクセス解析　SEO分析	
	情報収集	同業他社のホームページを調査	●ライバル会社を把握する
		インターネット検索による情報収集	●検索エンジン、検索キーワードの選定を工夫する ●情報の質・レベルを検証
		公表統計の入手（家計調査など）	●調査の種類・内容についての情報の把握が必要
専門会社（有料）	アンケート・商品モニター	モニターなど登録者に対する調査 ●希望にそったアンケート調査の実施 ●アンケート調査結果の提供	●会社ごとにシステム、料金、サンプル集が異なる

COLUMN

「普通」の感覚が大事

　個人事業者に求められるのは、市場調査の結果をきちんと受け止められる感覚をもつことです。いくら市場調査をしたところで、その結果を生かせる感覚がなければ話になりません。

　そのためのキーワードは「普通」です。普通に生活し、近所づきあいも友人とのつきあいも、仕事のつきあいも、「普通」の感覚を磨くたいせつな日常の一部です。

　そうすると、年齢、性別、立場などによる、さまざまな違いが理解できるようになります。

　仕事だけという狭い感覚で生活していると、見えるはずのものが見えなくなってしまいます。

MEMO　Web調査においては、対面調査より信頼度が低く、また、サンプルが年齢やインターネット環境により偏る（かたよ）可能性があることに注意してください。

人材選びは事業繁栄の基礎

事業が軌道に乗ってくると従業員を雇う必要が出てきます。規模が小さい分、優秀な人を選びたいものです。

雇い方（雇用形態）

■正社員
勤務時間：法律では1日8時間以内を原則としている
雇用期間：期間を定めない
給与：月給が多い、年俸や日給のケースもある
担当業務：営業、管理、商品開発など、必要に応じて担当する
その他：一般的に事務所、店舗の中心となって勤務する

■パート
勤務時間：正社員と比べて短い時間・日数の場合が多い
雇用期間：さまざま
給与：時給がほとんど
担当業務：接客や補助的な業務、単純作業が多い
その他：一般的に主婦が短時間働く場合が多い。正社員と同じような勤務をしている場合もある（フルタイムのパートという場合もある）

■アルバイト
勤務時間：正社員と比べ出勤日が少ない場合も多い。勤務時間は正社員と同じ場合も多い
雇用期間：一定期間、短期間、臨時的な場合が多い
給与：時給がほとんど
担当業務：接客や補助的な業務、単純作業が多い
その他：一般的に学生などの若者が働く場合が多い

MEMO　正社員やパート・アルバイトのほかに、専門的な業務や正社員に準じた業務を行う場合は契約社員、契約により決められた業務のみを行う場合は派遣社員も検討しましょう。

人材選びは事業繁栄の基礎

仕事の内容や量によって雇い方を決める

人を雇うときには、仕事の内容や仕事の量によって、正社員にするのか、アルバイトでいいのかというように、**雇用形態を決める**ことがたいせつです。

これは、**経費にもかかわってくる**問題なので、慎重に検討して決めてください。

募集方法はいろいろある

募集の仕方には、いろいろな方法があります。それぞれの特徴を理解した上で、本当に必要な人材を選びたいものです。

個人事業は、一般に規模が小さいため、1人ひとりの果たす役割は、その分大きなものになるのですから。

募集方法と特徴

《紹介》
● だれかの知り合いなので応募してきた人の素性や様子が比較的わかりやすい
● 応募者が少ない（ゼロのこともある）
● 採用後、勤務状況がよくなくても、知り合いからの紹介なのでやめてもらいにくい

《ハローワーク》
● 費用がかからないので気楽に活用できる
● 正社員の応募は多い
● 比較的地元の人の応募が多い
● 雇用することにより助成金がもらえるケースがある
● 募集をするときは原則ハローワークへ行き手続きをしなければならない

《フリーペーパー》
● 正社員よりパートやアルバイトの募集に向いている
● フリーペーパーが配られる一定地域からの応募となる
● 費用がかかるが、それほど高くない
● 駅やコンビニ・書店などに置いてある

《インターネット》
● 求人サイトによりターゲットを絞ることができる
● 掲載期間の選択肢が多い
● スカウト方式などもある
● 費用のかかるもの、無料のもの、紹介（成約）後に課金されるもの等、費用のパターンが多用
● 職種や資格に特化したサイトもある
● 気軽に応募できるため、キャンセルもされやすい

《派遣会社》
● 派遣会社を選び、希望の条件にあう人を見つけてもらう
● ほとんどの場合、募集の費用はかからないが募集費用も含めた時給になっている

《折り込み広告》
● 広告が入る地域からの応募となる
● 目に留まりやすい
● 比較的費用がかかる

MEMO 急に人が必要になった場合や短期の場合には、派遣社員を検討しましょう。派遣会社に支払う時給は割高ですが、手軽に利用できます。

著者の経験談から⑦
1人でも多くの人に会おう

◆事業開始を知らせる

　事業の開始を決断したら、なるべく多くの人に事業をはじめたことを知ってもらいましょう。また、できるだけ機会をつくって、直接会うようにしましょう。

　私は、「事業開始のご挨拶」のハガキを作成し、年賀状リストを利用して、多くの知り合いにハガキを送りました。

　そうすると、昔の友達から思わぬ連絡を受けたりしました。親戚から知り合いの会社を紹介してもらえたこともあります。

◆人とのつながりが財産になる

　前職を退職するときには、上司であった総務部長に挨拶し、開業のことも話しました。開業後に名刺と事業案内をもって訪問すると、さっそく仕事を出してくれました。おつきあいのあった業者さんにも会いました。友達の知り合いで、すでに社会保険労務士として個人事業を開業しているという人を紹介してもらい、話を聞きに行ったりもしました。自分と同じ事業をされていて、数年の経験があるこの方の話は、本当に参考になりました。

　開業登録をどうやってするか、社会保険労務士とひと口にいっても守備範囲が広いので「得意分野をもつことがポイント」「事務所はできれば都心にもったほうが顧客を獲得しやすい」など、ご自身の経験からお話をうかがうことができました。

　この方とは開業して数年経った今もおつきあいがあります。本当にどんなことが仕事につながるかわかりません。

　個人事業をはじめようと思っている人は、今のうちからなるべく多くの人脈をつくっておきましょう。人とのつながりが、いつか必ず事業の財産になるのですから。

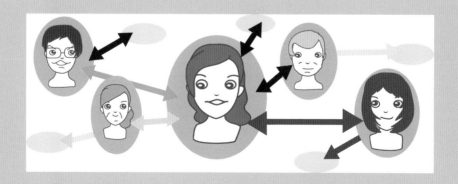

第8章

個人事業を成功させる

まずは気軽に相談してみるのもいい……202
専門家は頼れる相談相手……204
「知らなかった」は通用しない……206
悪質な取引先に対しては法的手段も考える
……208
入金と支払いのルールで事務の効率化を図る
……210
事務所の借り換えには費用も労力もかかる
……212
病気になったときのことを考えておく……214
老後のことも考えておく……216
法人にすれば社会的信用力が増す……218

[経営相談の活用]

まずは気軽に
相談してみるのもいい

個人事業者は1人で経営をしていきます。
でも、人の意見をきくのも大事なことです。

予想もしていないことが起こる

事業をはじめてみると予想もしなかったことがどんどん起こってきます。その中で自分自身では判断できないこと、わからないことも多く出てきます。

本やインターネットから情報を収集して解決する場合もあるでしょう。それでも解決できない場合、だれに相談をすればよいかを知っておきましょう。

相談内容により相談方法を考える

専門的な相談は**専門家、役所、公的機関の経営相談を利用**します。

もし、どこに相談したらよいかわからないような場合は、まず**商工会議所や中小企業振興公社などの公的機関を活用**します。そこで、何が問題なのか、この後どこへ相談すればよいのかを確認することがたいせつです。

ただし、商工会議所は会員でなければ相談を受けられない場合もあるので注意をしてください。

有料相談と無料相談の違いを知る

専門家に相談する場合、有料の場合と無料の場合があります。たとえば、弁護士に相談すると有料ですが、商工会議所や中小企業振興公社、市区町村の無料法律相談などを利用すると無料で相談できます。

ただ、無料相談は限られた時間内に決められた先生に相談することしかできません。相談内容の**重要度により有料、無料相談を使い分ける**必要があります。

無料相談で、ある程度の状況判断をしてもらいそのアドバイスをもとに、それ以上の相談が必要であれば、有料相談に切り替えていくというのも1つの方法です。

check

☑ 事業をはじめてみると予想もしないことが起こる。

☑ 知らないこと、困ったことは、気軽に相談したほうがいい。

☑ 相談内容によって、どこに相談するのかを整理しておく。

MEMO　一般的に、無料と有料の相談には違いがあることを理解した上で相談してください。

まずは気軽に相談してみるのもいい

相談内容による相談先

分類		相談内容	相談方法・相談先
専門的な相談	法律上のルール	●民法 　契約関係 　損害賠償 ●民事訴訟法 ●税法 ●労働法 ●社会保険各法 ●個人情報保護法	●専門家 　弁護士 　司法書士 　行政書士 　税理士 　公認会計士 　社会保険労務士　など ●公的機関 　市区町村役場 　税務署 　労働基準監督署 　年金事務所 　ハローワーク 　商工会議所 　中小企業振興公社　など
	その他のルール	●資金調達・融資 ●事務所、店舗 ●ISO・Pマーク ●助成金	●専門家 　中小企業診断士 　経営コンサルタント 　社会保険労務士 　司法書士・行政書士　など ●公的機関 　日本政策金融公庫 　商工会議所 　中小企業振興公社 ●その他 　不動産業者 　金融機関　など
その他	事業のやり方、経営全般	●事業戦略／事業プラン関係 ●営業関係 ●IT関係 　インターネット環境 　ホームページ・広告宣伝 ●教育	●専門家 　経営コンサルタント 　ITコーディネータ 　中小企業診断士　など ●公的機関 　商工会議所 　中小企業振興公社　など

COLUMN

商工会議所の会員になる

　各地の商工会議所は中小企業や個人事業者のために、法律知識や経営に関するテーマでセミナーを開催するなど、いろいろなサービスを提供しています。このようなセミナーを利用して、専門知識を身につけることも有効です。

　興味があることや、困っていることなどがあれば、積極的に参加してみましょう。また、具体的に困っていることがあれば、商工会議所の相談窓口を利用しましょう。いろいろな相談に乗ってくれます。

　商工会議所の会員になっておくとよいかもしれません。

WORD　**あいえすおー ISO**　国際的に通用する規格・基準です。ISO9001やISO14001やISO27001などのように分野別に番号がついています。

［専門家の活用］
専門家は
頼れる相談相手

国家資格をもった専門家の種類を知り
相談に活用しましょう。

資格をもった専門家

《弁護士》
- 法律相談
- 和解・示談交渉
- 民事事件、刑事事件の訴訟
- 行政庁に対する不服申し立て

日本弁護士連合会
https://www.nichibenren.or.jp/

《司法書士》
- 簡易裁判所での訴訟代理（支払督促、和解、少額訴訟など）
- 裁判所外での代理（内容証明による催告、示談交渉、和解など）
- 不動産登記、商業・法人登記の手続き

日本司法書士会連合会
https://www.shiho-shoshi.or.jp/

《行政書士》
- 許認可の申請(建設業、飲食店営業、旅館営業、理髪店・美容院、宅建業など)
- 会社設立、定款の作成
- 内容証明書の作成
- 自動車登録申請、車庫証明申請、交通事故に関する相談
- 外国人登録、帰化申請

日本行政書士会連合会
https://www.gyosei.or.jp/

《公認会計士》
- 監査業務
- 会計業務
- 税務業務
- 経営戦略などのコンサルティング業務

日本公認会計士協会
https://jicpa.or.jp/

MEMO　法律の専門家として一番身近な相談相手は行政書士でしょう。気軽に相談できる人が1人いると何かと便利です。

相談内容により専門家を選ぶ

事業をしていくと「契約書の内容は大丈夫か」「許認可の申請手続きはどうすればいいのか」「確定申告について相談したい」など、いろいろな問題に遭遇すると思います。

自分の経験や知識で解決できることもあるでしょうが、専門家に頼んだほうがいい場面もあります。ただ、どんな問題を、どの専門家に依頼すればいいのか、前提知識がないと悩んでしまいます。

専門家は、法律、税務、社会保険、経営などの分野に分類されます。**どんなことをどの専門家に依頼するかを知っておく**といざというときに大変役に立ちます。

専門家にもいろいろありますが、まずは専門家の種類と相談内容を下の表で見ておきましょう。

《税理士》
- 税務代理（税務に関する申告、申請、不服申し立てなどの代理）
- 税務調査の立会い
- 税務書類の作成
- 税務相談
- 会計帳簿の記帳代行

日本税理士会連合会
https://www.nichizeiren.or.jp/

《弁理士》
- 特許権、実用新案権の出願代理
- 意匠権の出願代理
- 商標権の出願代理

日本弁理士会
https://www.jpaa.or.jp/

《社会保険労務士》
- 労働社会保険の手続き代理
- 労働者名簿作成
- 就業規則作成
- 労使問題の相談

※労働保険・社会保険とは、労災保険、雇用保険、健康保険、厚生年金保険、国民年金、介護保険。

全国社会保険労務士会連合会
https://www.shakaihokenroumushi.jp/

《中小企業診断士》
- 中小企業や個人事業者への経営診断、アドバイス
- IT導入のコンサルティング
- 営業、販売方法のアドバイス

企画書
商品の特徴
メインターゲット
販売方法

中小企業診断協会
https://www.j-smeca.jp/

MEMO　本文で紹介した専門家のほかにも、ファイナンシャルプランナーやITコーディネーターなどが相談に乗ってくれます。

「知らなかった」
は通用しない

契約関係をはじめ最低限の法律知識を身につけることが
リスク回避になります。

知っておきたい法律知識

《手形・小切手》

■手形は、指定した日に指定の金額を支払うことを約束した証券。支払期日が到来した手形は、受取人が取引銀行に取立委任すると現金化できる。

■小切手は、受取人が小切手を指定銀行に持ち込むことにより現金化できる。

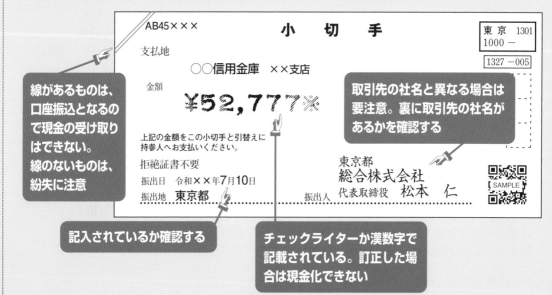

線があるものは、口座振込となるので現金の受け取りはできない。
線のないものは、紛失に注意

AB45×××

小　切　手

東　京　1301
1000 －

1327 －005

支払地

○○信用金庫　××支店

金額

¥52,777※

取引先の社名と異なる場合は要注意。裏に取引先の社名があるかを確認する

上記の金額をこの小切手と引替えに
持参人へお支払いください。

拒絶証書不要

振出日　令和××年7月10日

振出地　東京都

振出人

東京都
総合株式会社
代表取締役　松本　仁

SAMPLE

記入されているか確認する

チェックライターか漢数字で記載されている。訂正した場合は現金化できない

注意

手形や小切手で代金をもらうのは、信用のある取引先だけにする。

MEMO 契約書や領収証など収入印紙を貼らなければならない文書があります。記載金額により印紙の金額も異なります。印紙を貼っていない契約書は税法上問題になりますが、契約自体は成立します。

最低限の法律知識を身につける

事業をしていると、法律とかかわる場面が多く出てきます。「法律はよくわからない」「知らなかった」ではすまされないこともあります。事業をしていく上で関係する法律の概要やポイントなどの**最低限の法律知識は身につけ**、いざというときは専門家に相談しましょう。

■契約に関する法律は必須

事業経営につきものの契約書は、業務を受注したら、**必ず交わす**ようにしましょう。

口頭だけでも契約は成立しますが、後々もめごとの原因になるのを避けるためにも、書面での契約をおすすめします。

■事業に関する法律

契約関係以外でも下にあるような法律知識をはじめ、不動産や特許、税金、人に関係する労働関係などの法律知識もたいせつです。

《個人情報の保護》

■個人情報とは、氏名、生年月日、住所、連絡先や口座番号など個人に関する情報のこと。

■会員を募ってデータを管理するような事業や、顧客のアンケートをとっているような場合、個人情報が蓄積されるので管理には十分注意する。

《ネット販売》

■電子消費者契約法に基づき、消費者の操作ミスによって次のような事態が発生した場合に消費者が保護される。

●「無料」だと思ってクリックしたが、「有料」で代金を請求された

●1つ注文したつもりが2つ注文したことになってしまったなど

■販売する側が上記のようなミスを防止するために確認画面を設定するなどの適切な措置をとっていない場合、消費者からの申し込み自体が無効となる。

《クーリングオフ》

■一定期間、無条件で申し込みの撤回または契約を解除できる制度。

■クーリングオフができるのは契約書を受け取ってから8日間。

■訪問販売、キャッチセールス、電話勧誘販売、宅地建物取引、保険契約、割賦販売などに適用される。

MEMO　素人の勝手な法解釈は大ケガのもと。相談内容によって、弁護士、司法書士、行政書士などへの依頼を検討します。セミナーなどの勉強会へも積極的に参加してみましょう。

[少額訴訟制度]

悪質な取引先に対しては
法的手段も考える

商売にリスクはつきものです。場合によっては法律の力を借りる必要があるかもしれません。

売掛金は債権という権利の1つ

信用を前提とする取引では、商品・サービスの提供をしたら、その場で現金を受け取るのではなく、後で回収するのが一般的です。これを「売掛金」といいます。

売掛金は、後日請求書などに基づき、顧客から入金してもらいます。この場合、商品を提供した側が売掛金を回収する「債権」をもっていることになります。

売掛金回収の督促をする

商売をしているといろいろなリスクが伴います。「売掛金の回収ができない」というのもその1つです。せっかく売上があがったのにお金が入ってこないのでは大変です。

入金がされない場合、最初は、電話や文書などで「何かのミスではないか」といった内容でやんわりと督促します。

それでも相手に支払いの意思が見られないような場合は、**内容証明郵便を使って督促を**します。

それでも入金してくれないようなケースでは、悪質と判断し訴訟を起こすという手段があります。この場合、通常は弁護士に売掛金の回収を依頼します。

少額訴訟制度を利用する

少額訴訟制度は、債権金額が少なく通常の訴訟を起こしてまで回収するほどでもなく、回収を見送っていたような債権を迅速に回収するために設けられた制度です。

少額訴訟による訴えが認められれば、訴えられた側には支払い義務が生じます。「支払わなくて大丈夫だろう」と甘く見ている相手に対しては非常に効果的で、裁判所から訴状が届いただけで、和解するケースもあります。

check

✓ **売掛金は入金のチェックを必ずする。**

✓ **入金の遅れが発生したら督促をする。**

✓ **悪質な顧客に対しては、法的手段も検討する。**

MEMO　弁護士の報酬は、回収した金額、事案の複雑さ、裁判などに要した労力などによって幅がありますが、回収金額の1割前後が相場のようです。

悪質な取引先に対しては法的手段も考える

少額訴訟制度

- ●60万円以下の金銭支払いに関する訴訟が対象（請求金額が60万円を超える場合であっても、金銭を分けて複数回の訴訟を起こすことも可能）。
- ●金銭の支払いを求めるものに限られる。
- ●原則として1回の審理で双方の口頭弁論を行い、その日のうちに判決が下される。
- ●証拠となる書類や証人は、原則として審理の日にその場で確認できるような簡易なものに限定される。

⇩

1日で審理を終わらせることが難しいような場合は、通常訴訟に移行する。

《少額訴訟の手続き》

■用意するもの

訴状	請求したい金額と理由などを簡潔にまとめて記載した書面（簡易裁判所に請求の種類別の「定型訴状用紙」が備えられている）
証拠書類のコピー	主張を証明するための証拠書類（契約書、領収書、写真など）。被告送付用と裁判所提出用を用意する
収入印紙	請求金額の約1％の収入印紙を訴状に貼付する（印紙には消印をしないで提出）
切手	裁判所が訴訟の関係者に連絡するときの通信費として、被告1人につき4,000円程度の切手を用意する（用意する切手金額は訴訟を起こす簡易裁判所に問い合わせて確認する）
会社の登記簿謄本	原告、被告が会社である場合は、その会社の登記簿謄本を用意して提出する（会社の本店所在地を管轄する法務局に行けば誰でも発行してもらえる）

■提出先

管轄の簡易裁判所

※管轄の簡易裁判所とは、被告（訴えられた側）の住所地を担当する簡易裁判所。原告（訴えた側）が東京、被告が札幌の場合、札幌を管轄する簡易裁判所に訴状を提出する。

COLUMN

少額訴訟に向かないケース

　過去に、売掛金が入金されなかったため、少額訴訟制度を使って、訴えを起こした経験があります。銀行口座の差し押さえはできたのですが、残高がなく（支払い能力がない）、結局回収できませんでした。

　このほかにも、下記のように少額訴訟に向かないケースがあります。

- ●相手方の住所がわからない場合
- ●相手が通常の民事訴訟に移行するよう求めた場合
- ●金銭以外の請求の場合

裁判所の窓口は、ホームページで調べることができます。
https://www.courts.go.jp/courthouse/map/index.html

入金と支払いのルールで事務の効率化を図る

お金の管理事務を効率化するためにも、入金と支払いのルールを決めておくことがたいせつです。

入金と支払いのルールをつくる

個人事業者は、お金の管理については、専門外だったりするため、事業をはじめたもののどのようにすればいいのか、迷っている人を数多く見受けます。

事業経営が軌道に乗り、お金の取り扱いが増える前に、お金の管理の基本を頭に入れておきましょう。

◆入金のルール

小売商店のような現金商売は別にして、企業相手の商売などでは、掛売りといって、先に商品やサービスを提供し、その後請求書を発行することにより、入金されるというしくみが一般的です。

請求書の発行は、納品ごとに発行するケースと複数回の納品について月ごとにまとめて発行するケースの2つがあります。**月ごとにまとめて請求する**かたちにしたほうが、事務処理の手間が省けます。「月末にまとめて締めて全顧客に請求書を発行する」など自分なりのルールを決めてしまいましょう。

掛売りの場合は、請求書を発行したからといって安心していてはいけません。必ず入金の確認をしてください。入金を確認してはじめて1つの仕事です。

◆支払いのルール

月に数回発注するようなものは、月単位でまとめて請求してもらうように依頼することもできます（依頼しなくても業者のほうで、まとめて請求してくるところもある）。

ここで問題となるのが、締めと支払日です。締めと支払日を業者ごとにばらばらにしていると、銀行へ行く回数や伝票の数も増え、事務処理が煩雑になります。

業者と取引を開始するときに、自分の支払いサイトを申し出て、**支払日を固定**させてしまいましょう。先方もその予定でいるので、督促などはしてこないはずです。

check

- [x] **お金の管理事務が煩雑にならないようルールを決める。**
- [x] **掛売りの場合は月ごとに請求書をまとめて発行する。**
- [x] **毎月の支払日を固定する。**

MEMO　家賃や給料のように毎月必ず発生する支払いに関しては、支払日を固定しましょう。

入金と支払いのルールで事務の効率化を図る

入金の流れとルール

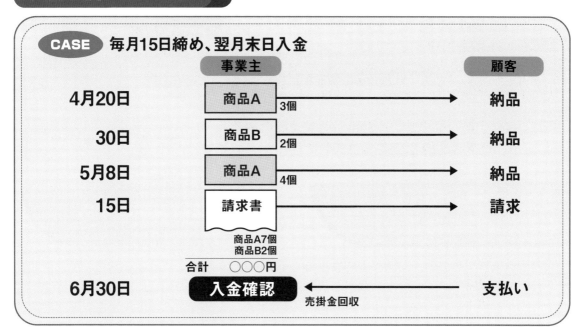

CASE 毎月15日締め、翌月末日入金

	事業主		顧客
4月20日	商品A	3個 →	納品
30日	商品B	2個 →	納品
5月8日	商品A	4個 →	納品
15日	請求書	→	請求

商品A7個
商品B2個
合計 ○○○円

| 6月30日 | 入金確認 | ← 売掛金回収 | 支払い |

支払いの流れとルール

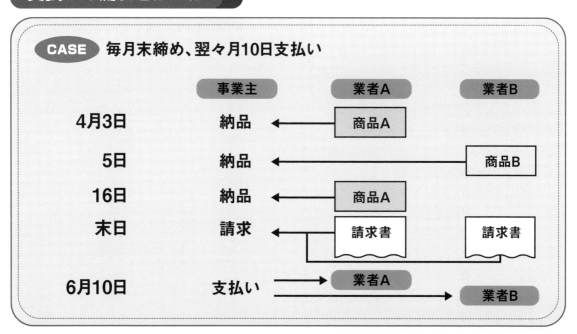

CASE 毎月末締め、翌々月10日支払い

	事業主	業者A	業者B
4月3日	納品	← 商品A	
5日	納品	←	商品B
16日	納品	← 商品A	
末日	請求	← 請求書	請求書
6月10日	支払い	→ 業者A	業者B →

MEMO 入金のタイミングが遅い顧客に対しては督促する必要も出てきます。また、約束より早い入金を催促してくる顧客に対しては、きちんと交渉をします。

事務所の借り換えには費用も労力もかかる

借りた事務所に不満を感じ、引越しをすることもあるでしょう。ただし、借り換えのコストに注意が必要です。

事務所の借り換えが必要な場合もある

事務所を借りたものの、立地がよくなかったとか、狭すぎる、逆に広すぎるなど、選定に失敗したと感じることもあります。事務所は、116ページでも述べたように、事業の拠点であり、不満を感じながらの事業継続は、すすめられることではありません。

このような場合、事務所の借り換えを考えなければなりません。ただし、本当に借り換えが必要かどうかをもう一度検討しましょう。

問題点を明確にする

借り換えの判断は今現在の**問題点と借り換えにかかる費用や労力を比較する**ことが大事です。事業計画に見合った広さの事務所を借りたが、予定どおりに進まなくなって家賃負担が大変になってしまったような場合は、早めに借り換えを検討しなければなりません。

家賃は、ランニングコストとして毎月必ず出て行くお金です。**早めに固定費の圧縮を図ったほうがよいもの**の1つです。

早めに解約通知をする

借りた事務所を解約する場合、事前通知が必要です。事前通知が何か月前かを確認しておきましょう。この期間を短縮するには違約金としてその分の家賃負担が発生します。

少しでも早く通知をしなければいけないのですが、次に借りる事務所が決まっていないと危険です。解約通知を出して、すぐに次の借り手が決まってしまうと行き先がなくなってしまいます。

また、原状回復も必ず必要です。通常は入居したときの保証金の中でまかなうことが多いのですが、特別に費用がかかるような場合、**実費が必要になることもあります。**

check

- 借りた事務所に不満を感じながらの事業継続はストレスのもと。
- 家賃は確実に出て行くお金。早めに決断をする。
- 事務所借り換えにはコストだけでなく労力もかかる。

WORD　**原状回復**（げんじょうかいふく）　借りていた事務所を入居時と同じような状態に戻すことをいいます。工事業者に依頼が必要な場合もあります。

事務所の借り換えには費用も労力もかかる

借り換えを検討する基準

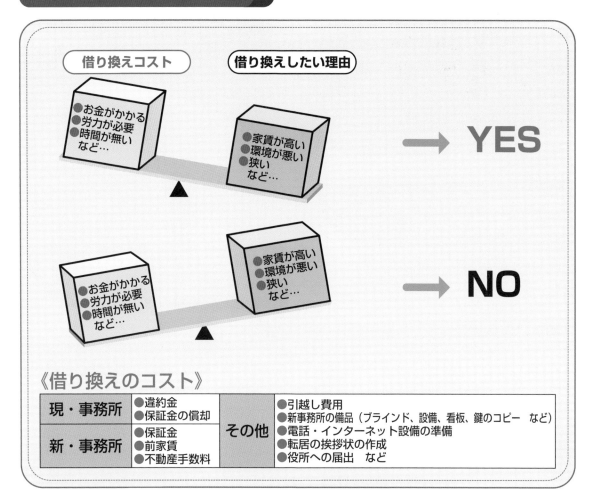

借り換えコスト

借り換えしたい理由

- ●お金がかかる
- ●労力が必要
- ●時間が無い
- など…

- ●家賃が高い
- ●環境が悪い
- ●狭い
- など…

→ **YES**

- ●お金がかかる
- ●労力が必要
- ●時間が無い
- など…

- ●家賃が高い
- ●環境が悪い
- ●狭い
- など…

→ **NO**

《借り換えのコスト》

現・事務所	●違約金 ●保証金の償却	その他	●引越し費用 ●新事務所の備品（ブラインド、設備、看板、鍵のコピー　など） ●電話・インターネット設備の準備 ●転居の挨拶状の作成 ●役所への届出　など
新・事務所	●保証金 ●前家賃 ●不動産手数料		

COLUMN

家賃は固定費

　事務所を借りるということは、固定費が毎月発生するということです。個人事業者にとっては少なくない金額になるので、十分な検討が必要です。

　私の場合も、事業が予定どおり進まずに事務所を縮小した経験があります。その後事業が拡大したのですが、次のステップの事務所を借りるまでは、ぎりぎりまで小さな事務所で営業を続けました。もうどうしようもないというタイミングで広い事務所に移ったことがあります。

MEMO　事業を始めたばかりでそうそう引越しはできません。最初に事務所を借りるときにしっかりと検討しましょう。

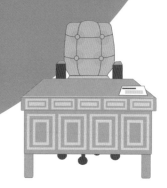

［万一に対する備え］

病気になったときのことを考えておく

個人事業者は体が資本です。万一に備え、各種保険への加入を検討しておきましょう。

病気になったときの対応を考えておく

個人事業をはじめたものの、病気になって仕事ができなくなるということも起こりうることです。

特に、1人で事業をしている場合は1人4役をこなしているため、業務はすべてストップしてしまいます。たとえ、人を雇っている場合でも、指示、管理、判断業務がストップするので、多少の休みならともかく、長期間の休みが必要な場合は日常業務にも支障が出てきます。

実際に病気になってしまったら、短期間であれば、最低限の連絡や対応だけ家族や知り合いに頼めばすみますが、長期の入院などが必要になった場合は、仕事を忘れて完全休業することも視野に入れておかなければなりません。

病気のときの生活保障に関する情報を知る

病気になった場合、**収入がなくなってしまうことが個人事業の恐さの1つです。

そこで、失われた収入を補填する生活保障に関する知識をもっておきましょう（→次ページ）。

個人事業者は自分で保障の準備をする

病気になり仕事ができず収入がなくなった場合、会社員と違い公的保険でさえも治療費以外の生活保障を自動的に受けることができません。

個人事業をはじめる場合は、まさかの場合の生活保障のために**公的保険と民間保険の加入をいっしょに考えておく**必要があります。

保険は基本的に「たすけあい」のしくみです。個人事業者こそ助け合いのしくみである保険の加入が必要です。

check

☑ 病気になると事業はストップしてしまう。当然収入はなくなる。

☑ まさかに備え、保険への加入を考える。

☑ 健康には十分に注意すること。ときには完全休業も必要。

MEMO　万一病気やケガで仕事に影響が出るような場合は、事業関係者や取引先に事情を説明し、迷惑をかける旨や復帰の予定を連絡しましょう。

病気になったときのことを考えておく

病気になった場合の対応

対応		メリット	デメリット
休む		●失敗等をして信用を失うことはない	●顧客を失う可能性がある ●収入が途絶える
他の人に任せる	家族	●業務が継続できる ●すぐに対応可能 ●臨機応変に対応してもらえる ●連携がとりやすい	●不慣れによる失敗により信用を失う可能性がある ●家庭における収入源が同じになるので事業の影響が大きくなる
	他人	●業務が継続できる	●不慣れによる失敗により信用を失う可能性がある ●業務を理解し、慣れるのに時間がかかる ●任せる人を探すのに時間がかかる

各種保険

《公的保険》

特徴
●病気の治療費などの給付はあるが、個人事業者の場合、原則生活保障はない。
●任意加入の手続きをすることにより、保障が受けられる場合がある。

■労災保険
条件：特別加入の手続きをしている人
　　　仕事が原因で病気・けがをしたこと
　　　仕事ができないこと
補償：特別加入の手続き時に決められた日額
　　　×休業日数
　　　原則、日数に制限なし

■健康保険（任意継続の傷病手当金）
条件：会社員を退職後、任意継続の手続きをしていること（ただし、退職日の前日まで1年以上被保険者であった人で、退職前からすでに傷病手当金を受給していた場合に限る）
保障：任意継続の手続き時に決められた日額のおよそ3分の2×休業日数
　　　最長1年6か月

《民間保険》

特徴
●自由に保険会社や保険商品を選んで加入できる。
●すでに病気がある場合などは加入できないことがある。

■医療保険（含む医療特約、入院特約）
条件：入院を4日（契約によって異なる）以上していること
給付：契約時の入院日額×入院日数

■所得補償保険
条件：病気やケガにより仕事ができず、収入がないこと
給付：契約時の所得額×休業日数分

MEMO　個人事業者は体が資本です。決して無理をしないようにしましょう。そのためにも万全の保障を考えておく必要があります。

[小規模企業共済制度]

老後のことも考えておく

事業をやめたときにまとまったお金が受け取れる
小規模企業共済制度への加入を検討しましょう。

申し込み窓口と共済金の受取額

《申し込み窓口》

- ●銀行・信用金庫・信用組合・商工組合中央金庫などの金融機関の本支店
- ●商工会連合会
- ●市町村の商工会
- ●商工会議所
- ●中小企業団体中央会
- ●青色申告会　など

《共済金の受取額の例》 ※掛金月額1万円で、平成16年4月以降に加入の場合。

掛金納付月数	掛金総額	共済金A	共済金B	準共済金
60月（5年）	600,000円	621,400円	614,600円	600,000円
120月（10年）	1,200,000円	1,290,600円	1,260,800円	1,200,000円
180月（15年）	1,800,000円	2,011,000円	1,940,400円	1,800,000円
240月（20年）	2,400,000円	2,786,400円	2,658,800円	2,419,500円
360月（30年）	3,600,000円	4,348,000円	4,211,800円	3,832,740円

解約手当金は、掛金納付月数が240月未満の場合は、掛金合計額を下回るので注意！！

掛金は「小規模企業共済等掛金控除証明書」を提出することで年末調整や確定申告により全額所得控除することができます。

老後のことも考えておく

小規模企業共済制度は個人事業者の強い味方

個人事業者に、会社員時代のような退職金はありません。また、個人事業者が加入する国民年金は、会社員が加入する厚生年金に比べて、老後の給付額は低くなります。

そんな個人事業者の味方となるのが、国が支援している「小規模企業共済制度」です。

個人事業者や小規模企業の役員などが加入でき、現役時代に掛金を積み立て、事業をやめたときなどに、それまで積み立てた金額から共済金というかたちで、**まとまったお金を受け取ることができます**。言い換えれば、個人事業者のための退職金制度です。

掛金を毎月積み立てることにより、共済制度に加入することができます。事業で急な資金が必要になった場合など、積み立てた金額の中から融資を受けることもできます。

制度の概要

加入資格	●常時使用する従業員が20人以下（商業とサービス業（宿泊業・娯楽業除く）は5人以下）の個人事業者。 ※「常時使用する従業員」には、通常家族や臨時従業員は含まない。また加入後に従業員が増加しても加入は継続可。
掛金	●毎月払い、半年払い、年払いの3通りから選択する。 ●金額は1,000円〜70,000円（500円単位で自由に選べる）。 ※加入後、増額・減額はいつでも可能。また、掛金は全額が「小規模企業共済等掛金控除」として、課税対象所得から控除される。
共済金の受け取り	●掛金を6か月以上納付すれば、共済金として受け取ることができる。 ●受け取れる共済金は、共済金A、共済金B、準共済金の3種類。 共済金Aを受け取れる場合…個人事業をやめたとき（死亡含む） 共済金Bを受け取れる場合…65歳以上で15年以上掛金を払っているとき 準共済金を受け取れる場合…個人事業を会社組織にして、その役員にならなかったとき ※共済金は、掛金総額に一定の利子がつく。 ※受け取るときの事由により、割増がつくことがある。共済金Aが一番割増が高い。 ※任意で解約することもできるが、解約手当金は、掛金払込月数に応じて、払込総額の80%〜120%。ただし、払込月数が12か月未満の場合は掛け捨てになることに注意。
受け取り方法	●共済金Aと共済金Bについては、「一括受取」「分割受取」および「一括受取と分割受取の併用」が可能。 ●準共済金と解約手当金は一括受取のみ。
税金の取り扱い	●一括受取は退職所得扱い。 ●分割受取は雑所得扱い。 ※解約手当金は一時所得扱いとなる。
貸付制度（一般貸付け）	●共済契約者は、掛金の範囲内で貸付が受けられる。納付月数により、掛金の7割〜9割。 ●事業資金の融資が受けられる。理由が問われることはなく、借入金額に応じて、借入期間が選択できる。6か月〜60か月。 ●利子の支払いは借入時に一括前払いまたは借入時および返済時に6か月分前払い。利息は現在、年利1.5%（一般の銀行融資よりも低い設定となっている）。 ●融資は掛金の支払いを行っている金融機関を通じて行われる。

MEMO　貸付制度は、いざというときに頼りになります。銀行が貸してくれなくても低い金利で利用可能です。

［法人成り］

法人にすれば
社会的信用力が増す

事業規模の拡大に伴い法人化するのも1つの手段です。
株式会社の設立は簡単にできるようになりました。

法人は事業上の信用力が増す

　個人事業でも、多くの利益をあげて社会的な信用を得ているケースも多く見られます。たとえば、作家や作曲家、芸術家などはわざわざ会社組織にしてもあまりメリットはありません。

　しかし、一般的な事業の場合には、信用力という点で基本的に法人のほうがまさっています。会社にすることによって「組織」の力として見てもらえるため、小さくても**法人にしたほうが社会的信用は大きくなる場合が多い**ようです。

　また、人材採用においても法人のほうが優秀な人材が集まりやすいとも考えられます。

法人には種類がある

　法人には次ページのようにいくつかの種類があります。自分の事業にあう法人を選択するようにしましょう。

　ここでは、代表的な法人の株式会社について、簡潔に説明しておきます。

簡単に株式会社が設立できるようになった

　2006年の会社法施行により、資本金1円でも株式会社を設立することが可能となり、類似商号規制の撤廃、提出書類の簡略化など、会社設立のハードルは低くなりました。

　そして、2021年2月からマイナポータルにおける「法人設立ワンストップサービス」の提供が開始されました。

　これにより、マイナンバーカードがあれば、法人設立ワンストップサービスのサイト（https://app.e-oss.myna.go.jp/Application/ecOssTop/）から「登記」「国税」「地方税」「年金」「雇用保険」「労働保険」「健康保険」に関する届出すべてを行い、会社を設立することができるようになりました。

check

- ☑ **法人化することにより、信用がアップする。**
- ☑ **どの法人にするか考えよう。**
- ☑ **資本金1円で株式会社が設立できる。**

 WORD　ほっきせつりつ **発起設立**　会社の設立に際して、株式をすべて発起人（出資者）が引き受ける方法です。これに対し募集設立とは発起人が株式の一部だけを引き受け、残りを募集する方法です。

法人にすれば社会的信用力が増す

法人の種類と特徴

株式会社	●出資者全員が出資額を限度とする有限責任。 ●機関設計など内部規律は強行規定が設けられている。
合名会社	●出資者（社員）は無限責任。 ●民法の組合の規定が準用され、定款自治が認められている。
合資会社	●有限責任社員と無限責任社員からなる。 ●民法の組合の規定が準用され、定款自治が認められている。
合同会社	●出資者全員が出資額を限度とする有限責任。 ●組合的規律のもと定款自治が認められている。

※定款自治とは、法律で許される範囲で会社の判断によって組織をつくる、損益を分配するなどを決めること。
　もともと定款とは会社の運営や組織ルールについて書かれた書面のこと。
　有限会社は2006年5月1日以降、新規での設立はできない。

株式会社設立の手続き

STEP1　社名などの決定
●会社名、事業目的、資本金の額、役員などを決める。
●出資をしてもらう場合は、出資比率も決める。
※役員はいっしょにはじめる人（共同経営者）や親族がなる場合が多い。

STEP2　定款の作成と公証人の認証
●定款を作成する。
●発起人が署名または記名・押印（実印）し、公証役場へ提出する。
※定款とは会社の憲法ともいえるもので、会社の目的・商号・本店の所在地・
　出資金の額・発起人の氏名または名称、住所を記載する。発起人が署名または記名・押印する。
※電子定款にして登記・供託オンライン申請システムを利用することも可能。収入印紙代4万円が不要になり、節
　約できる。

STEP3　印鑑などを作成する
●代表取締役印、銀行印、住所・社名のゴム印などを作成する。

STEP4　資本金を払い込む
●振り込みがされた口座の通帳の写し、または銀行の取引明細書に会社の代表者の証明書を添付する。
※以前は金融機関の「払込金保管証明書」の発行が必要だった。

STEP5　設立登記申請書を作成し届け出る
●登記申請は、書類をそろえ管轄の登記所へ申請する。
●出資金払い込み後、2週間以内に申請する。

申請から設立まで2週間程度かかる。会社の設立日を決め、逆算するとよい。

MEMO　　会社設立にかかる費用は、株式会社で約24万円、合同会社で約10万円です。

著者の経験談から⑧
私たちのプロセス

◆充実感を味わってほしい

本書の終わりにあたり、私たちのこれまでの軌跡を少しご紹介します。

私たちは、現在、法人経営をしています。しかし、スタートは個人事業でした。それぞれまったく別のかたちで個人事業をはじめました。

一方の前職は金融機関、もう一方はIT関連企業。子育てなどの理由で一線から退き、それぞれが「社会保険労務士」という資格を取得して、個人事業をはじめたのです。

出会いは、開業後です。1人での事業展開に限界を感じていたちょうどその時期に出会いました。「1+1を2以上にしよう」をコンセプトにパートナーとして再出発しました。

個人事業を営んでいる人で、パートナーがいるケースはよくあります。しかしそのつながり方は、緩いものから共同経営に近いものまでいろいろです。私たちの場合は、がっちりと組むことにより効果をあげようと考えたのです。

パートナーとなってからは、事業の幅が広がりました。それぞれ得意分野も違っていたので、お互いの分野を生かしながら、顧客開拓を進めていきました。事業案内を充実させ、ホームページの開設も行いました。

結果、よい方向に動き、事業は発展しました。次のステップでは、個人事業での限界を感じ、共同経営として法人化を行ったのです。

事業経営は大変ですが、自分たちで考えたこと、企画したことが、実を結んだときの充実感は何ものにも代えられません。

これから個人事業をはじめようとしている皆さんにも、ぜひ、この充実感を味わっていただきたいと思います。

索引

Ⓐ Ⓑ Ⓒ

Do ……………………………………… 30
iDeCo（個人型確定拠出年金）…… 48、51
IP電話 ………………………………… 113
ISO …………………………………… 203
LAN …………………………………… 121
LINE …………………………………… 195
NPO …………………………………… 189
Plan …………………………………… 30
See …………………………………… 30
SNS ……………………………………32、195
SOHO ……………………………………18
TikTok …………………………………195
YouTube ………………………………184、195

あ

青色事業専従者給与 ………………… 96
青色申告者 ………………………… 58、83
青色申告特別控除 …………………… 58
アルバイト …………………………… 198
一時金 ………………………………… 50
イニシャルコスト …………………… 118
医療費控除 …………………………… 100
医療保険制度 …………………………47
インターネット ……………………… 114
インターネットバンキング ………… 81
インターネットビジネス …………… 19
インボイス制度………………………… 103
ウイルス ……………………………… 115
内訳表 ………………………………… 97
売上 …………………………………… 26
運転資金 ……………………………… 154
営業 …………………………14、32、186
営業方法 ……………………………… 184

か

カードローン ………………………… 134
開業資金計画シート ………………… 155
開業の挨拶 …………………………… 189
会計ソフト ………………………84、91
価格競争 ……………………………… 147
確定申告 …………………………52、88
確定申告書 ………………………99、101
課税売上高 …………………………… 103
家族の理解 …………………………… 34
株式会社設立 ………………………… 219
簡易課税 …………………………104、106
間接営業 ……………………………… 184
企画 …………………………………14、32
企業年金 …………………………42、50
基礎控除 ……………………………… 100
基本手当 ……………………………… 45
キャッシュフロー表 ………………… 125
キャリアプラン ……………………… 161
給与所得の源泉徴収票 ……………… 169
給料 …………………………………… 26
給料賃金 ……………………………… 96
協会けんぽ …………………………… 46
業種 …………………………………… 144
行政書士 ……………………………… 204
業態 …………………………………… 144
協力者 ………………………………… 190
許可 …………………………………… 20
クーリングオフ ……………………… 207
経営・事業理念 ……………………… 148
携帯電話 ……………………………… 113
経費 …………………………………… 26
契約 …………………………………… 207
経理・雑務 …………………………… 33
決算整理 ……………………………… 90
減価償却 …………………………62、90
原価率 ………………………………… 146
現金出納帳 ………………………85、87
健康 …………………………………… 36
原状回復 ……………………………… 212
原則課税 …………………………104、106
厚生年金 ……………………………… 48
公的資格 ……………………………… 22
公的融資 ……………………………… 126

公認会計士 ………………………… 204
小売・飲食店ビジネス ………………… 19
小切手 ……………………………… 206
国民健康保険 ………………………… 46
国民年金 ……………………………… 48
国民年金基金 ………………………… 48
個人事業税 …………………………… 66
個人情報 …………………………… 207
国家資格 ……………………………… 22
雇用保険 ……………………………… 72

さ

財政状況 …………………………… 166
在宅ビジネス ………………………… 19
最低生活費 ……………… 170、178
サクセスストーリー ……… 140、147
資格ビジネス ………………… 19、23
時間 …………………………………… 36
事業＆ライフプラン計画表
　　　………… 172、174、176、179
事業案内 …………………………… 192
事業概要シート …………………… 151
事業計画書 ……………… 132、148
事業戦略シート …………………… 153
事業ビジョン ……… 138、140、149
事業プラン ………………………… 160
事業プランシート ………………… 145
資金管理 …………………………… 80
資金繰り …………………………… 122
資金繰り表 ……………… 122、125
資産一覧表 ………………………… 166
市場調査 …………………………… 196
失業給付 …………………………… 44
司法書士 …………………………… 204
社会保険の手続き ………………… 40
社会保険料控除 …………………… 100
社会保険労務士 …………………… 205
社内の手続き ……………………… 40
就業規則 …………………………… 40
収支計画シート …………………… 157
収入 ………………………………… 27
住民税 …………………… 51、53
出金伝票 …………………… 85、86
少額訴訟制度 ……………………… 208

小規模企業共済制度 ……………… 216
小規模企業共済等掛金控除 ……… 100
商工会 ……………………………… 188
商工会議所 ………………………… 203
消費者金融 ………………………… 134
証憑類 ……………………………… 108
商品（サービス）の提供 ……… 14、33
情報収集 …………………………… 28
助成金 …………………… 128、130
所得控除 …………………………… 100
所得税 ……………………………… 51
人脈 ………………………………… 188
信用保証協会 ……………………… 126
スマートフォン …………………… 113
生活プラン ………………………… 160
税金の手続き ……………………… 40
成功の1割の原理 ………………… 14
正社員 ……………………………… 198
税務署 ……………………………… 56
税理士 ……………………………… 205
設備 ………………………………… 121
設備資金 …………………………… 154
専門家 ……………………………… 190
総勘定元帳 ……………… 85、87
相談 ………………………………… 202
相談者 ……………………………… 190
損益計算書 ………………………… 92

た

貸借対照表 ………………………… 94
貸借のまちがい …………………… 85
退職金 ……………………………… 50
退職に関する手続き ……………… 42
退職願 ……………………………… 41
ダイレクトメール（DM） ………… 184
棚卸 ………………………………… 90
中小企業診断士 …………………… 205
帳簿 ………………………………… 108
貯蓄 ………………………………… 167
チラシ ……………………………… 194
通帳 ………………………………… 80
積立 ………………………………… 167
手形 ………………………………… 206
適格請求書保存方式 ……………… 103

電子帳簿保存法 …………………… 109
電話 ………………………………… 112
電話番号 …………………………… 113
動機 …………………………… 17、140
登録 ………………………………… 20
特別加入制度 ……………………… 69
都道府県税事務所 ………………… 66
届出 ………………………………… 20
飛び込み営業 ……………………… 184

な

ニーズ ………………………… 186、196
日本年金機構 ……………………… 76
入金伝票 ………………………… 85、86
入出金管理 ………………………… 210
任意継続 …………………………… 46
認可 ………………………………… 20
ネット販売 ………………………… 207
年末調整 …………………………… 52
能力 ………………………………… 182

は

バーチャルオフィス ……………… 119
パート ……………………………… 198
配偶者控除 ………………………… 100
配偶者特別控除 …………………… 100
ハローワーク …………………… 44、72
パンフレット ……………………… 194
非課税売上 ………………………… 63
必要生活費 …………… 168、170、178
備品 ………………………………… 121
被保険者番号 ……………………… 75
ファクス …………………………… 112
複式簿記 …………………………… 82
負債 ………………………………… 167
扶養控除 …………………………… 100
フランチャイズ …………………… 19
振替伝票 ………………………… 85、86
プロバイダ ………………………… 112
弁護士 ……………………………… 204
弁理士 ……………………………… 205
法人成り ………………………… 12、218
ホームページ ……………………… 194

保険 ………………………………… 167
保険料 ……………………………… 47
募集設立 …………………………… 218
補助金 ……………………………… 155
発起設立 …………………………… 218

ま

マネープラン ……………………… 160
みなし仕入率 ……………………… 105
民間資格 …………………………… 22
メール ……………………………… 187
メルマガ（メールマガジン）…… 32、194
免許 ………………………………… 20
免税事業者 …………………… 102、106
目的 …………………………… 17、140
目標 ………………………………… 140
元入金 ……………………………… 95

や

屋号 ………………………………… 64
優位性 ……………………………… 145

ら

ライフイベント表 ………………… 164
ライフデザイン …………………… 162
ライフプラン …………………… 138、160
ランニングコスト ………………… 118
利益 ………………………………… 26
利益率 ……………………………… 146
理解者 ……………………………… 190
リスク …………………………… 28、167
稟議 ………………………………… 24
レンタルオフィス ………………… 118
老後 ………………………………… 216
労災保険 …………………………… 68
労働基準監督署 …………………… 68
労働者名簿 ………………………… 73
論理的思考能力 …………………… 182

わ

ワンストップサービス…………… 218

◆株式会社ヒューマン・プライム
◆社会保険労務士法人ヒューマン・プライム
〒103-0013　東京都中央区日本橋人形町1-18-9　ATビル5階　　　URL: https://humanprime.co.jp/
●事業内容
　人事・労務に関するコンサルティングから事務アウトソーシングまで、プロフェッショナルなサービスを提供する専門家集団

◆池田直子
特定社会保険労務士／1級ファイナンシャル・プランニング技能士
東京経済大学　短期大学部卒業
大手損保会社勤務を経て、「いけだFP社会保険労務士事務所」開業。
2002年、株式会社ヒューマン・プライム設立　代表取締役に就任。
2008年、退任。
現在、社会保険労務士事務所「あおぞらコンサルティング」所長。
●活動内容
　商工会議所、中小企業庁、金融機関などで講演多数。
　日経新聞、読売新聞、OZマガジンなど取材多数。
●執筆
　日銀・金融広報中央委員会WEBにて「企業年金」執筆
　読売新聞、日本経済新聞等コラム　他

◆平田久美子　税理士
●執筆
　「相続税相談所」（中央経済社）
　「老老相続－弁護士・税理士が伝えたい法務と税務！」（清文社）
　本書の執筆、特に税務関係の項に関しましては、著者が懇意にしている税理士・平田氏の協力を得ております。

◆小澤薫
特定社会保険労務士／1級ファイナンシャル・プランニング技能士
青山学院大学　経済学部卒業
コンピュータソフトウェア会社勤務を経て、「小澤薫ソーシャルオフィス」開業。
2002年、株式会社ヒューマン・プライム設立　代表取締役に就任。
2004年、代表取締役社長に就任。
2008年、ヒューマン・プライム労務管理事務所所長に就任。
2015年、社会保険労務士法人設立
●活動内容
　経営者協会、中小企業庁などで講演多数。
　日経新聞、週刊文春、サンデー毎日など取材多数。
●執筆
　「キチンとできる！　小さい会社の総務・労務・経理」（TAC出版）
　「介護施設版　就業規則整備・改訂の手引」共著（経営書院）
　「働き方改革対応！　パートタイマーの労務管理と就業規則」（日本法令）
　　　　　　　　　　　　　　　　　　　　　　　　　　　　　　　他

◆ヒューマン・プライム社員一同
本書の執筆にあたっては、ヒューマン・プライム社員による執筆補助、取材、調査、校正などの協力のもと、完成に至りました。

【STAFF】
カバーデザイン●デジカル デザイン室
本文デザイン／イラスト●アナクリアンデザイン　綿貫香代美

DTP●加賀美康彦
編集協力●小松プロジェクト
企画編集●成美堂出版編集部（原田洋介・池田秀之）

本書に関する正誤等の最新情報は、下記のURLをご覧ください。
https://www.seibidoshuppan.co.jp/support/

※上記アドレスに掲載されていない箇所で、正誤についてお気づきの場合は、書名・発行日・質問事項・氏名・住所・FAX番号を明記の上、成美堂出版まで郵送またはFAXでお問い合わせください。お電話でのお問い合わせは、お受けできません。
※法律相談等は行っておりません。
※内容によっては、ご質問をいただいてから回答を郵送またはFAXで発送するまでお時間をいただく場合もございます。
※ご質問の受付期限は、2025年6月末到着分までとさせていただきます。ご了承ください。

個人事業のはじめ方がすぐわかる本 '24〜'25年版
2024年8月30日発行

著　者　ヒューマン・プライム
発行者　深見公子
発行所　成美堂出版
　　　　〒162-8445　東京都新宿区新小川町1-7
　　　　電話(03)5206-8151　FAX(03)5206-8159
印　刷　株式会社フクイン

©Human Prime 2024 PRINTED IN JAPAN
ISBN978-4-415-33445-5
落丁・乱丁などの不良本はお取り替えします
定価はカバーに表示してあります